Was Wir Zu Hause Tun Können, Um Gesund Zu Sein

Neue Methoden und bewährte Naturheilmittel für die ganze Familie

Markus Keller

1. Auflage (2025)

In Liebe und Dank für meine Mutter

Was Wir Zu Hause Tun Können, Um Gesund Zu Sein

Neue Methoden und
bewährte Naturheilmittel
für die ganze Familie

Markus Keller

1. Auflage (2025)

Impressum

Die Deutsche Nationalbibliothek verzeichnet diese Publikation in der Deutschen Nationalbibliografie; detaillierte bibliografische Daten sind im Internet über www.dnb.de abrufbar.

Die Inhalte, Anregungen und Ratschläge dieses Buches sind nicht dazu gedacht, eine ärztliche Beratung, ärztlich gebotene oder verordnete Therapie zu ersetzen. Sie wurden nach bestem Wissen und Gewissen erarbeitet, jedoch sind sie immer an die Besonderheiten des Einzelfalls anzupassen, weshalb eine Garantie für Wirksamkeit, Angemessenheit und Unschädlichkeit nicht übernommen werden kann und nicht wird. Bei Bestehen gesundheitlicher Beeinträchtigungen ist es dringend geboten, Ärzte und Heilpraktiker um Rat zu fragen. Zur Sicherheit gilt dies auch vor der Aufnahme einer sportlichen Betätigung, dem Befolgen eines Ernährungsprogramms, der Einnahme von Nahrungsergänzungen oder Naturheilmitteln, der Selbstanwendung auch niedrigschwelliger, einfach oder ungefährlich erscheinender heilkundlicher Maßnahmen. Da körperliche Reaktionen individuell und oft unvorhersehbar sind, ist es dringend geboten, gezielte Eingriffe in Funktionen und den Stoffwechsel des Körpers durch medizinische Fachleute begleiten und beaufsichtigen zu lassen. Eine Haftung des Autors, des Verlages oder seiner Beauftragten für Personen-, Sach- und Vermögensschäden ist ausgeschlossen. Als Leser dieses Buches bleiben Sie vollständig für Ihre Gesundheit und Gesundheitsversorgung verantwortlich.

Markus Keller,
Jahrgang 1971

Kontakt mit dem Autor per E-Mail: mar-kus@email.de
Facebook: @AutorMarkusKeller

Verlag: BoD · Books on Demand GmbH, Überseering 33,
22297 Hamburg, bod@bod.de
Druck: Libri Plureos GmbH, Friedensallee 273, 22763 Hamburg

ISBN: 978-3-8192-0213-1

Vorwort zur ersten Auflage (2025)

Ein Coach, der ein Buch über Gesundheit schreibt, ohne selbst Arzt oder Heilpraktiker zu sein, geht ein Risiko ein. Denn dieses Thema wird von Personen beansprucht, die es gern auf ihre Praxisräume und das begrenzen, was Strukturen, Politik und finanzielle Interessen vorgeben. Was viele übersehen: Gesundheit beginnt zu Hause – dort, wo wir uns am meisten aufhalten.

„Was wir zu Hause tun können, um gesund zu sein" zeigt Ihnen, wie Sie Ihren Wohnraum für sich und Ihre Familie zu einem Ort der Regeneration, Vorsorge und des Kraftschöpfens machen. Erfreulicherweise gelingt dies mit einfachen und kostengünstigen Methoden.

Ziel ist es, Erkrankungen vorzubeugen, das Stresslevel zu senken, Widerstandskraft und Leistungsfähigkeit zu stärken. Denn Gesundheit ist nicht nur das höchste aller Güter, sondern auch eine Voraussetzung für persönliches, familiäres, berufliches und sportliches Vorankommen.

In diesem Sinne ist die Arbeit eines Coaches immer nur so gut, wie es die Gesundheit der betreuten Person zulässt. Mit dieser Einsicht und dem Wunsch, vieles von dem zur Gesundheit beizutragen, was Ärzte im täglichen Umgang mit ihren Patienten eher nicht leisten können, wird manches klarer. Dann ist dieses Buch nicht nur eine logische Konsequenz – sondern beinahe eine Notwendigkeit.

Gesundheit und Wohlergehen sind kein Zufall, sondern das Ergebnis vieler richtiger Entscheidungen. Lassen Sie uns gemeinsam erkunden, wie Sie Ihr Zuhause in eine Quelle von Energie, Schutz und Lebensfreude verwandeln können. Ich wünsche Ihnen Erfolg und Erfüllung auf diesem Weg.

Es grüßt Sie herzlich

Ihr Autor Markus Keller, im August 2025

Überblick über den Inhalt mit Kurzbeschreibung

Dieses Buch ist eine warmherzige Hommage an das Geschenk des Lebens. Seine ersten 20 Abschnitte rufen Bekanntes in Erinnerung, liefern Stichworte und widmen sich modernen Perspektiven der inneren Regulation. Der erste der beiden Anhänge fordert heraus und reflektiert die Spannung, die der Wunsch nach Gesundheit in sich trägt. Der zweite Anhang vollendet dieses Buch mit einem Feuerwerk an nützlichen Optionen für den Alltag.

1. Lokale Anwendung von Wärme und Kälte
Ein bewährter Einstieg in die Selbsthilfe: Thermische Reize lindern Schmerz, entspannen Muskeln und regulieren Entzündungen. Praktisch und wirksam.

2. Auflagen, Umschläge und Wickel
Als klassische Hausmittel helfen sie bei Prellungen, Schmerzen, Fieber und vielem mehr.

3. Massagen und Druckausübung
Berührung heilt. Von Selbstmassage über Faszienrollen bis zu Drucktechniken: Gezielte Reize lösen Verspannungen, fördern die Durchblutung und Körperwahrnehmung.

4. Bäder und Badezusätze
Wasser als Wohltat und Heilmittel: Warmes Bad plus pflanzliche Zusätze wie Lavendel, Salz oder ätherische Öle entspannen, pflegen die Haut und regenerieren.

5. Sonnenbaden, Infrarotlicht und Tageslicht
Licht ist Medizin: Sonnenstrahlen, Infrarotwärme und Tageslichtlampen aktivieren das Immunsystem, verbessern die Stimmung und stellen die innere Uhr.

6. Waldbaden und Kontakt mit der Natur
Der Wald reguliert und stimuliert: Terpene, Stille und Bewegung im Grünen senken Stress, stärken die Immunabwehr und fördern unser psychisches Gleichgewicht.

7. Ernährung und Küchenmedizin
Die tägliche Nahrung als Beitrag zur Gesundheit: Hochwertige Ernährung, Sättigung, Achtsamkeit, Mikronährstoffe und therapeutisch genutzte Küchenzutaten wie Kurkuma.

8. Fasten und Heilfasten
Verzicht als Kraftquelle: Richtig angewendet fördert Fasten die Zellreinigung, Stoffwechselbalance und mentale Klarheit.

9. Atmung, Atemtechniken und Atemräume
Atmen als Selbstregulation: Von Zwerchfellatmung über Wechselatmung bis 4-7-8, einfache Techniken mit großer Wirkung.

10. Schlaf, Rhythmus und Regeneration
Gesunder Schlaf ist kein Luxus, sondern Voraussetzung für ein gesundes Leben. Praktische Impulse für Schlafhygiene, Abendrituale und Rhythmuspflege.

11. Heilpflanzen in der Hausmedizin
Die Apotheke der Natur: Wirkung, Zubereitung und sichere Anwendung von Kamille, Baldrian, Pfefferminze und Co. – kompakt und evidenzbasiert.

12. Ätherische Öle und Aromatherapie
Duft heilt über die Sinne: Einsatz ätherischer Öle zur Stimmungsaufhellung, Immunstärkung und Pflege von Haut und Seele.

13. Bewegung, Dehnung, sanfte Körperarbeit
Heilung durch Bewegung: Pflege der Faszien, Yoga und mehr – achtsame Körperpraxis für Stabilität, Kraft und innere Ausrichtung.

14. Stille, Meditation und mentale Gesundheit
In der Stille wächst Klarheit. Wissenschaftlich fundierte Meditationsformen stärken Konzentration, emotionale Resilienz und Achtsamkeit.

15. Gemeinschaft und soziale Gesundheit
Verbundenheit schützt und stärkt: Wirkfaktoren gelingender Kommunikation, die Kraft der Gemeinschaft und heilsame Resonanz.

16. Schadstoffe: vermeiden und entgiften
Der Körper kann sich selbst reinigen, profitiert aber von gezielter Unterstützung. Sauna, Basenbäder, Leberwickel und Bitterstoffe zur sanften Ausleitung.

17. Rituale, Routinen und Heilräume im Alltag
Struktur als Medizin: Rituale und Routinen bringen Tiefe, Stabilität und Verlässlichkeit ins Alltägliche. Entdecke heilsame Wiederkehr.

18. Vagusnerv und autonomes Gleichgewicht
Der Vagusnerv ist der wohl wichtigste Vermittler zwischen Körper, Geist und Nervensystem. Seine Aktivierung fördert Regeneration, emotionale Stabilität und Selbstheilung.

19. Grounding: leitender Kontakt mit der Erde
Ob barfuß am Strand, im Garten oder mit der Erdungsmatte im Büro: Grounding hat überraschende Effekte auf Schlaf, Entzündung, Schmerz und seelische Balance.

20. Dankbarkeit, Spiritualität und Sinn
Eine Erinnerung an das, was das Leben trägt: Sinnhaftigkeit, innere Haltung und das Geschenk der Dankbarkeit.

Anhang 1: 40 Fragen an Ihren Arzt
Es ist von unschätzbarem Wert, die Arbeit der Ärzte aktiv zu unterstützen.

Anhang 2: 40 erstaunliche Hacks
Zuletzt folgt ein Angebot an Tricks und Kniffen, um den Alltag zu bereichern.

Eine finale Botschaft

Schlusswort

Inhaltsverzeichnis

Einleitung

Gesundheit beginnt dort, wo wir die meiste Zeit unseres Lebens verbringen: zu Hause. Dieses Buch zeigt Ihnen, wie Sie Ihr Wohnumfeld in einen Ort verwandeln, der Regeneration, Widerstandskraft und innere Ruhe fördert. Wer so vorsorgt, stärkt sein Immunsystem, beugt Krankheiten vor und gewinnt an Lebensqualität.

Die vorgestellten Ansätze sind leicht umsetzbar – ganz ohne teure Geräte. Ob Wärmeanwendungen, Massagen, Pflanzenheilkunde, Naturkontakt oder bewusste Ernährung: All diese Mittel haben sich über Generationen bewährt, ihre Wirksamkeit wird heute zunehmend durch Forschung bestätigt.

Viele Inhalte sind praktischer Natur: Sie erfahren, wie Schlaf, Rituale, Atmung oder der Kontakt zur Erde (Grounding) helfen können, Körper und Geist in Balance zu bringen. Dabei geht es nie um Perfektion, sondern um bewusstes Annähern und Erproben. Kleine Schritte führen oft zu großen Veränderungen.

Dieses Buch will erinnern und inspirieren – nicht belehren. Es ruft Wissen wach, das uns aus der Kindheit vertraut ist. Es lädt ein, darauf aufzubauen, eigene Wege zu finden und Verantwortung für das eigene Wohlbefinden zu übernehmen.

Die Teile des Buches sind unabhängig voneinander lesbar. Sie können mit dem Thema beginnen, das Sie am meisten anspricht. Vertrauen Sie Ihrer Neugier – und lassen Sie sich begleiten auf dem Weg zu einem gesünderen Zuhause.

1. Lokale Anwendung von Wärme und Kälte

Einleitung

Die lokale Anwendung von Wärme und Kälte zählt zu den ältesten und effektivsten Methoden der Selbstbehandlung. Diese Techniken sind kostengünstig, einfach zu Hause durchführbar und wissenschaftlich gut untersucht. Sie wirken unterstützend bei der Linderung von Schmerzen, der Förderung der Durchblutung und der Regulation von Entzündungsprozessen. Wärmeanwendungen können chronische Schmerzen und Verspannungen im Besonderen bei Muskel- und Gelenkbeschwerden lindern; Kälteanwendungen sind ideal bei akuten Verletzungen und Entzündungen, sie können Schwellungen eindämmen und ebenfalls bei Schmerzen helfen.

Wärmetherapie

Wirkmechanismen:

Wärme erweitert die Blutgefäße, fördert die Durchblutung und lockert das Gewebe. Sie hilft besonders bei chronischen Beschwerden wie Muskelverspannungen, Gelenkschmerzen und degenerativen Erkrankungen wie Arthrose.

Anwendungsformen:

- Wärmflasche: klassisch mit heißem Wasser gefüllt, in ein Tuch gewickelt
- Körnerkissen: etwa Kirschkern- oder Dinkelkissen; sie geben trockene Wärme gleichmäßig ab
- Heizkissen/-decken: elektrische Geräte zur gezielten Wärmeanwendung, mit Temperatureinstellung
- Warmes Handtuch: in heißem Wasser getränkt, ausgewrungen, aufgelegt und optional mit Folie bedeckt

Vorsicht: Direkter Hautkontakt mit der Wärmequelle sollte vermieden werden (Verbrühungsgefahr).

Nachsorge: Sanftes Dehnen nach der Anwendung kann die Wirkung verlängern.

Kältetherapie

Wirkmechanismen:

Kälte verengt die Blutgefäße, reduziert die lokale Durchblutung und verlangsamt so entzündliche Prozesse. Sie eignet sich besonders für akute Verletzungen wie Prellungen, Zerrungen oder Schwellungen.

Anwendungsformen:

- Eisbeutel: Eiswürfel in ein Tuch gewickelt, 10–15 Minuten applizieren
- Gefrorenes Gemüse: etwa Erbsenbeutel – eine flexible und günstige Kältekompresse
- Gel-Kältepads: wiederverwendbar, anatomisch anpassbar
- Spezial-Kühlbandagen: für Gelenke wie Sprunggelenk, Ellenbogen, Knie

Vorsicht: Kälte sollte nie direkt auf die Haut einwirken, sonst sind lokale Erfrierungen möglich.

Nachsorge: Das Wiedererwärmen sollte langsam geschehen, gekühlte Bereiche sollten nur wenig beansprucht werden.

Praktischer Nutzen im Alltag

- Kosten: gering bis moderat (5–15 € für handelsübliche Produkte)
- Zeitaufwand: je Anwendung 10–30 Minuten, bis zu 3-mal täglich
- Zugänglichkeit: ideal für Menschen jedes Alters und ohne Vorkenntnisse anwendbar

---

Fazit

Wärme- und Kältetherapie stellen in Kombination mit Ruhe, bewusster Bewegung und gegebenenfalls auch der Anwendung von Heilpflanzen (vgl. Abschnitt 11) eine preiswerte, risikoarme und wirkungsvolle Methode der Selbsthilfe dar. Es ist empfehlenswert, sich eine kleine Hausapotheke etwa mit Körnerkissen, Gelpads, Eisbeuteln und eventuell auch einem elektrischen Heizkissen zuzulegen.

Literatur zum Nachlesen und Vertiefen:

- Bleakley, C. M., McDonough, S. M., & MacAuley, D. C. (2004). The use of ice in the treatment of acute soft-tissue injury: A systematic review of randomized controlled trials. The American Journal of Sports Medicine, 32(1), 251–261.
- Deyo, R. A., Walsh, N. E., Schoenfeld, L. S., & Ramamurthy, S. (1990). Can trials of physical treatments be blinded? The American Journal of Physical Medicine & Rehabilitation, 69(1), 6–10.

2. Auflagen, Umschläge und Wickel

Einleitung

Eine Auflage liegt direkt auf der Haut auf. Ist sie klein, spricht man von einer Kompresse. Wickel umschließen einen Körperbereich vollständig: ein Armwickel den Arm, ein Bauchwickel den gesamten Rumpf. Ein Umschlag ist näher an einer Auflage als an einem Wickel. Mit einem Umschlag werden größere Flächen als mit einer Auflage behandelt, anders als ein Wickel wird er nie mehrlagig angelegt.

Ein populäres Beispiel ist der Wadenwickel zur Fiebersenkung. Dabei werden Tücher in kühles Wasser getaucht, ausgewrungen und für etwa zehn Minuten angelegt. Sobald der Wickel körperwarm geworden ist, wird er gewechselt. Der Vorgang kann wiederholt werden, bis das Fieber spürbar gesunken ist.

Auflagen und Wickel bestehen in der Regel aus zwei Schichten: Die Innenschicht (z. B. ein Geschirrtuch) liegt direkt auf der Haut auf und trägt das Wirkmittel – Wärme oder Kälte, Arnika, Quark oder viele andere. Die Außenschicht (z. B. ein Tuch oder eine Binde) fixiert die Anwendung und sorgt für Halt.

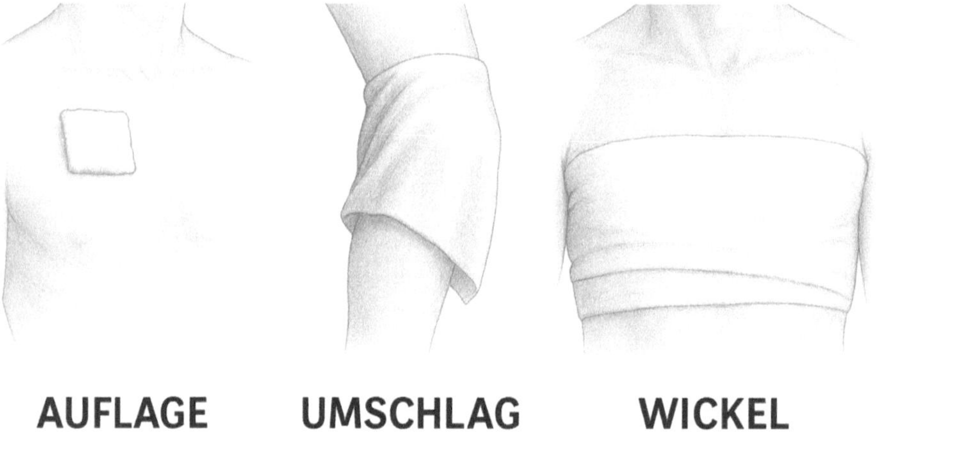

Beispiele

1. Arnika-Umschlag

- Wirkung: Arnika (*Arnica montana*) besitzt entzündungshemmende, abschwellende und schmerzlindernde Eigenschaften. Arnika eignet sich zum Beispiel bei Prellungen, Zerrungen und rheumatischen Beschwerden.
- Anwendung: Eine dünne Schicht Arnikasalbe wird auf eine Kompresse oder ein Tuch aufgetragen, auf die Haut aufgebracht, mit medizinischem

Klebeband oder einem Tuch für 20–30 Minuten auf der betroffenen Stelle fixiert. Danach sanft reinigen.

- Häufigkeit: je nach Verträglichkeit und Packungsbeilage, typischerweise 1–2 Mal täglich

2. Quarkwickel (kühlend)

- Wirkung: Quark aus dem Kühlschrank (kalt, aber nicht gefroren), ist ein gut handhabbarer Träger von Kälte; kühle Quarkwickel wirken entzündungshemmend, abschwellend und schmerzlindernd – z. B. bei Insektenstichen, Gelenkentzündungen oder Halsschmerzen.
- Anwendung: ca. 1 cm dick auf ein Leinentuch streichen, auf die Haut auflegen, mit Mull fixieren, nach 30–60 Minuten entfernen
- Hinweis: Um die Durchblutung nicht zu beeinträchtigen, sollte der Wickel nicht zu fest angelegt werden. Jede Schicht sollte die vorige um ca. 50 % überlappen.

Weitere Anwendungsbeispiele:

- Wärmewickel mit (die Wärme konservierenden) Leinsamen, Kartoffeln oder Zwiebeln: zur Schleimlösung oder Linderung innerer Spannungen
- Kalte Wickel mit schwarzem Tee oder Kamillenextrakt: Sie wirken beruhigend und entzündungshemmend.
- Wickel mit kühlem Salzwasser: Sie fördern den venösen Rückfluss und können bei „müden Beine“ helfen.
- Kopfwickel bei Kopfschmerzen: Ein in kaltes Wasser getränktes Tuch um Stirn und Nacken legen, bei Bedarf mit trockenem Stirnband fixieren.
- Es sind Kombinationen mit Heilpflanzen und ätherischen Ölen möglich: siehe Abschnitte 11 und 12.

Nutzen und Grenzen

- **Vorteile:** einfach, preiswert, gut verträglich, besonders für leichte bis mittlere Beschwerden im häuslichen Umfeld geeignet
- **Grenzen:** ohne ärztliche Abklärung keine Anwendung bei offenen Wunden, Hautreizungen oder unklaren Beschwerden; eiskalte Wickel wie Eis nie direkt auf die Haut legen (Gefahr von „Kälteverbrennungen“)

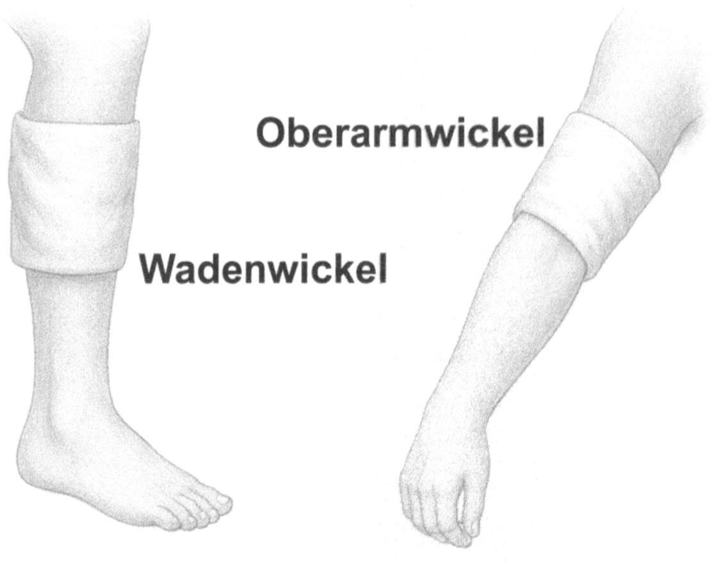

Fazit

Auflagen und Wickel sind seit Jahrtausenden bewährte, aber auch nach dem Maßstab moderner Wissenschaft untermauerte Verfahren zur Linderung zahlreicher Alltagsbeschwerden. Richtig angewendet, entfalten sie ihre Effekte durch Wärme, Kälte, Feuchtigkeit und viele natürliche Wirkstoffe. Eine Grundausstattung an Tüchern, Kompressen, medizinischem Klebeband und natürlichen Substanzen ist für jeden Haushalt sinnvoll.

Literatur zum Nachlesen und Vertiefen:

- Schmid, M., & Müller, A. (2022). The use of calf compresses for gentle fever reduction: A scoping review. Collegian, 29(2), 123-130.
- Lee, S. G., Lee, E. B., Nam, T. S., You, S., Im, D., Kim, K., ... & Kim, S. G. (2025). Anti-Inflammatory and Pain-Relieving Effects of Arnica Extract Hydrogel Patch in Carrageenan-Induced Inflammation and Hot Plate Pain Models. Pharmaceutics, 17(2), 171.
- Bunning, M., & Kendall, P. (2014). Cottage Cheese and Quark: Versatile Dairy Products. Journal of Dairy Science, 97(8), 4411–4422.

3. Massagen und Druckausübung

Einleitung
Massagen gehören zu den ältesten Heilmethoden. Sie beeinflussen nicht nur Muskeln und Faszien, sondern auch das Nervensystem und das seelische Wohlbefinden. Sie fördern die Durchblutung, lösen Verspannungen, lindern Schmerzen und können einen Zustand tiefer Entspannung auslösen. Zu Hause lassen sich viele Techniken mit einfachen Mitteln und ohne professionelle Hilfe anwenden.

Wirkung und Anwendungsbereiche

- Lösen von Muskelverhärtungen
- Linderung von Stress und Schlafstörungen
- Verbesserung der Durchblutung
- Förderung der Selbstwahrnehmung und Körperverbundenheit

Regelmäßige Massagen unterstützen präventiv die Gesundheit und können Beschwerden gezielt lindern.

Einige Tipps und Hilfsmittel zur Durchführung von Massagen daheim

1. Manuelle (auch Selbst-)Massage

- Mit den Händen können Nacken, Rücken, Schultern, Arme, Waden oder Gesicht gezielt massiert werden; mit den Handknöcheln und Ellenbogen kann mehr Druck aufgebaut werden.
- Techniken: kreisende Bewegungen, Streichen, Kneten
- Dauer: 5–20 Minuten je Anwendung

2. Tennisball/Massageball

- Besonders geeignet für Rücken, Gesäß oder Fußsohlen
- Durchführung: Ball zwischen Wand und Körper oder auf dem Boden platzieren; durch Eigengewicht Druck dosieren
- Vorteil: Auch schwer erreichbare Stellen behandelbar

3. Handtuchrolle

- Aufgerolltes Handtuch als Druckpunkt unter Rücken oder Nacken
- Ideal zum Lösen von Spannung entlang der Wirbelsäule

Intensivere Hilfsmittel zur Eigenanwendung

1. Faszienrolle (Foam Roller)

- Zylinderförmig, fest oder weich – optimal für Beine, Rücken, Po
- Löst Faszien, verbessert Beweglichkeit und Durchblutung
- Dauer: 10–15 Minuten

2. Elektrische Massagegeräte

- Geräte mit Vibrations-, Klopf- oder Rotationsfunktion
- Zielgerichtete Muskelstimulation bei minimalem Kraftaufwand

3. Massagematten/-kissen

- Integrierte Mechanik, teils mit Wärmefunktion
- Simulation professioneller Techniken (Shiatsu, Knetmassage)
- Besonders für Nacken und Rücken geeignet

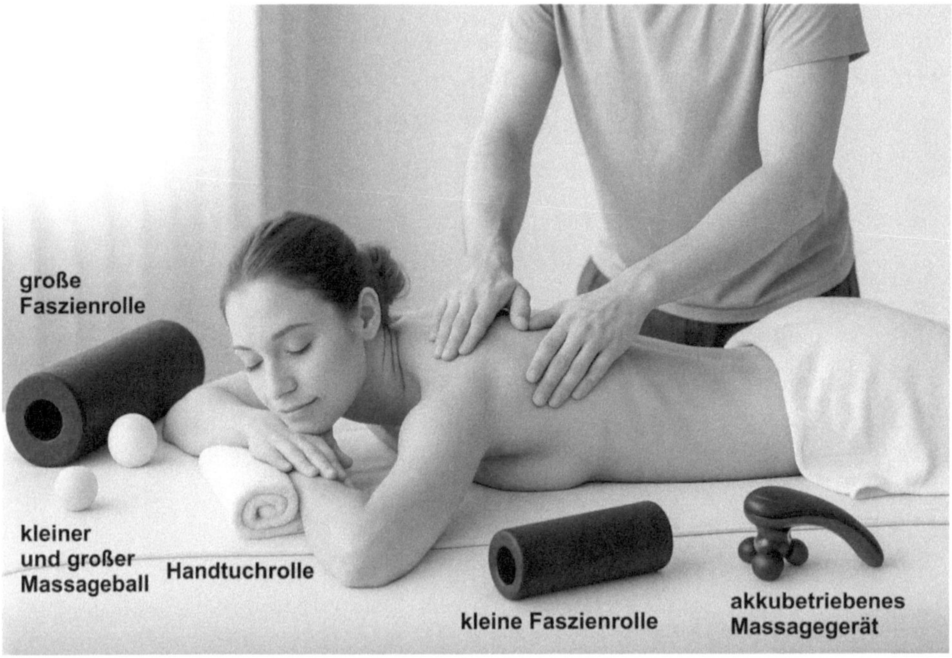

Ergänzende Maßnahmen

- Umgebung: ruhiger, warmer Raum, gegebenenfalls leise Musik, angenehme Düfte
- Pflege: hautfreundliche Öle (z. B. Lavendel-, Mandelöl) zur Reduktion der Reibung
- Nachsorge: Nachspüren, Dehnen, viel Wasser trinken zur Unterstützung des Stoffwechsels

---

Grenzen der Anwendung

- Bei akuten Entzündungen, Fieber, frischen Verletzungen oder Thrombose ist Massage kontraindiziert.
- Bei chronischen Beschwerden zuvor Rücksprache mit Arzt oder Heilpraktiker halten.

Fazit

Massagen sind ein einfaches, wirksames Mittel zur Förderung von Gesundheit und Wohlbefinden. Ob mit den Händen, einem simplen Tennisball oder hochwertigen Geräten – regelmäßige (Selbst-)Behandlung wirkt wohltuend und ausgleichend. In Verbindung mit Atemtechniken, Ruhephasen und körperlicher Achtsamkeit lässt sich ihre Wirkung weiter verstärken.

Literatur zum Nachlesen und Vertiefen:

- Field, T. (2014). Massage Therapy Research Review. Complementary Therapies in Clinical Practice, 20(4), 224–229.
- Ernst, E. (2009). Massage Therapy for Pain and Anxiety: A Systematic Review. Journal of Pain and Symptom Management, 37(3), 418–428.
- Langevin, H. M., & Sherman, K. J. (2007). Pathophysiological model for chronic low back pain integrating connective tissue and nervous system mechanisms. Medical Hypotheses, 68(1), 74–80.

4. Bäder und Badezusätze

Einleitung
Bäder sind ein bewährtes Mittel zur Entspannung, Schmerzlinderung und Förderung der Selbstheilung. Sie wirken ganzheitlich auf Körper, Geist und Seele – je nach Temperatur, Dauer und Zusatzstoffen können sie zum Beispiel beruhigend, anregend, durchblutungsfördernd, entsäuernd oder entzündungshemmend sein.

Allgemeine Wirkungen warmer Bäder

- Entspannung der Muskulatur und Faszien
- Anregung der Durchblutung und Regeneration
- Linderung von Schmerzen, Stress, Schlaflosigkeit und innerer Unruhe
- Stärkung des Immunsystems (z. B. bei beginnender Erkältung)

Empfohlene Wassertemperatur: 36–39 °C
Badedauer: 15–30 Minuten

Einige beliebte Badezusätze und ihre Wirkung

1. Ätherische Öle

- Lavendel: beruhigend, schlaffördernd
- Eukalyptus: schleimlösend, befreiend für Atemwege
- Pfefferminze: kühlend, anregend

Hinweis: Damit sie sich nicht an der Oberfläche des Badewassers absetzen, wo sie die Haut reizen könnten, sollten Ätherische Öle zunächst in Sahne, Honig oder auch Badeöl gegeben werden. Eine Menge von wenigen Tropfen genügt für ein Vollbad.

2. Mineralsalze

- Epsom-Salz (Magnesiumsulfat): Wirkt muskelentspannend, bei Verspannungen und Wadenkrämpfen
- Totes-Meer-Salz / Meersalz: Hautpflegend, entzündungshemmend (z. B. bei Neurodermitis)

3. Natriumbicarbonat

- Wirkt basisch, hautberuhigend, kann juckreizlindernd wirken
- Besonders geeignet bei trockener Haut, Ekzemen oder nach körperlicher Belastung

4. Zitronensäure / Citrate

- Hautreinigend, leicht peelend, pH-regulierend
- Wirkt erfrischend und fördert die Durchblutung

Tipp für entsäuerndes, entspannendes Baden:

Ob Badewanne oder Fußbad, Natriumbicarbonat (Natriumhydrogencarbonat und Natron genannt, aber nicht: Natriumcarbonat) ist ein günstiger wie wirksamer Badezusatz. Eine wissenschaftliche Studie aus dem Jahr 2021 von Yamazaki und Kollegen lieferte die Erkenntnis, dass es in Verbindung mit ca. 20 % Citrat (Zitronensäure-Pulver, identisch mit dem Lebensmittelzusatzstoff E330) noch besser wirkt. Der vermutete Grund: Natriumbicarbonat erhöht den pH-Wert des Badewassers; gibt man Citrat hinzu, sinkt der pH-Wert und nähert sich dem der Haut an. Offenbar dadurch kann das Bicarbonat besser über die Haut in den Körper gelangen. Wer dies testen mag, setzt für ein Vollbad ca. 100–150 g Natron und 20–30 g Citrat ein. Beide sind online und in den Backabteilungen vieler Supermärkte erhältlich. Für eine kontrollierte Wirkung ist es sinnvoll, auf weitere Badezusätze zu verzichten.

Alternative Formen der Wasseranwendung

1. Dusche mit Aromaeffekt

- Einige Tropfen ätherisches Öl auf einen feuchten Waschlappen geben und in der Dusche platzieren.
- Dampf hilft, die Wirkung über die Atmung aufzunehmen.

2. Fußbäder

- Bei Kreislaufschwäche, kalten Füßen oder zum Einschlafen
- Zusätze: Epsom-Salz, Lavendelöl oder Senfmehl (anregend)

3. Wickel und Teilbäder

- Auch bei eingeschränkter Mobilität oder begrenztem Raum
- Z. B. Armbäder bei Nervosität, Sitzbäder bei Unterleibsbeschwerden

---

Nutzen und Grenzen

- Stärken: Vielseitig, entspannend, hautpflegend, durchblutungsfördernd
- Vorsicht bei: Herz-Kreislauf-Erkrankungen, niedrigem Blutdruck, offenen Wunden
- Hinweis: Nicht direkt nach dem Essen oder bei Fieber baden

Fazit

Ob als Fußbad, Vollbad oder therapeutisches Aromabad – Bäder sind ein traditionsreiches wie einfaches Gesundheitsritual. Ergänzt durch gezielt ausgewählte Zusätze wie Öle, Salze oder Pflanzenextrakte entfalten sie eine individuell steuerbare Wirkung, die Körper und Geist in Einklang bringen kann.

Literatur zum Nachlesen und Vertiefen:

- Käferstein, H. (2002). Bäder als physikalische Therapie: Wirkung und Anwendungsbereiche. Medizinische Klinik, 97(4), 191–198.
- Pittler, M. H., & Ernst, E. (2000). Complementary therapies for osteoarthritis: Are they effective? Rheumatic Disease Clinics of North America, 26(1), 191–203.
- European Journal of Integrative Medicine (2013). The effect of aromatherapy massage using lavender oil on stress in patients with coronary artery disease.
- Yamazaki T, Ushikoshi-Nakayama R, Shakya S, Omagari D, Matsumoto N, Nukuzuma C, Komatsu T, Lee MC, Inoue H, Saito I. The effects of bathing in neutral bicarbonate ion water. Sci Rep. 2021 Nov 8;11(1):21789.

5. Sonnenbaden, Infrarotlicht und Tageslicht

Einleitung

Licht ist Leben. Sonnenlicht, Infrarotstrahlung und Tageslicht beeinflussen zentrale Prozesse im Körper – vom Hormonhaushalt über den Schlafrhythmus bis hin zur Immunfunktion. Derlei Quellen von Licht und Wärme unterstützen die körperliche und psychische Gesundheit. Richtig genutzt, entfalten sie sogar heilsame Effekte, die in der modernen Gesundheitsvorsorge zunehmend an Bedeutung gewinnen.

Sonnenlicht – Quelle von Vitamin D und Lebensfreude

Wirkmechanismen:

- Vitamin-D-Bildung: UVB-Strahlen aktivieren in der Haut die Synthese von Vitamin D, das eine zentrale Rolle bei der Kalziumaufnahme, Knochengesundheit, Immunfunktion und sogar bei Depressionen spielt.
- Stimmungsaufhellung: Sonnenlicht stimuliert die Ausschüttung von Serotonin („Glückshormon") – ein natürlicher Schutz gegen depressive Verstimmungen.
- Stabilisierung des zirkadianen Rhythmus: Lichtreize helfen dabei, unsere innere Uhr zu synchronisieren.

Empfehlungen zur Anwendung:

- Je nach Hauttyp und Jahreszeit (im Hochsommer weniger) 10–30 Minuten direktes, nicht durch Scheiben gefiltertes Sonnenlicht pro Tag
- Idealerweise auch in den Morgenstunden zur Regulation des Schlaf-Wach-Rhythmus
- Kein Sonnenschutzmittel während der ersten Minuten verwenden (für die Vitamin-D-Synthese)

Hinweis: Übermäßige Sonnenexposition vermeiden – sonst drohen Sonnenbrand und langfristige Hautschäden, beides sind Risikofaktoren für Hautkrebs.

Infrarotlicht – Wärme, die tief wirkt

Eigenschaften:

- Unsichtbare Wärmestrahlung, die tief ins Gewebe eindringt
- Fördert die Durchblutung, entspannt die Muskulatur, lindert Schmerzen

Anwendungsbereiche:

- Muskel- und Gelenkbeschwerden (z. B. Arthritis, Verspannungen)
- Wundheilung, Hauterkrankungen (Akne, Ekzeme)
- Regeneration nach körperlicher Belastung

Anwendung zu Hause:

- Infrarotlampen mit 100–300 Watt Leistung
- Abstand: 30–50 cm, Dauer: 10–20 Minuten, 1–2 Mal täglich
- Infrarot-Saunen als zusätzliche Option zur Entgiftung (vgl. Abschnitt 16)

Vorteil gegenüber klassischen Wärmeanwendungen: Infrarotstrahlung wirkt tiefer und gezielter.

Tageslicht – natürliches Gleichgewicht für Psyche und Körper

Wirkung:

- Hebt die Stimmung
- Regt die Hormonproduktion an (z. B. Serotonin, Melatonin)
- Reguliert den Schlaf-Wach-Rhythmus
- Wirkt präventiv gegen die saisonal abhängige Depression (SAD)

Hilfsmittel bei Lichtmangel:

- Tageslichtlampen mit mindestens 10.000 Lux
- Anwendung: 20–30 Minuten täglich am Morgen, ca. 50 cm Abstand

Wichtig: Nicht direkt in die Lampe schauen, parallel lesen oder arbeiten.

Vergleich und kombinierte Anwendung

Lichtquelle	Wirkungsschwerpunkt	Anwendung
Sonnenlicht	Vitamin D, Stimmung, Schlafrhythmus	Aufenthalt im Freien
Infrarotlicht	Wärme, Muskeln, Schmerzlinderung	Lampe, Infrarotsauna
Tageslicht-lampen	Stimmung, innere Uhr, Anti-Winterdepression	in Innenräumen

Fazit

Licht ist eine unterschätzte Kraftquelle. Sonnenlicht aktiviert lebenswichtige Prozesse, Infrarotwärme lindert Schmerzen und Tageslicht hellt nicht nur den Raum, sondern auch das Gemüt auf. Die bewusste Integration natürlicher und technischer Lichtquellen in den Alltag trägt erheblich zur ganzheitlichen Gesundheitsförderung bei – besonders in der dunkleren Jahreszeit.

Literatur zum Nachlesen und Vertiefen:

- Holick, M. F. (2007). Vitamin D deficiency. New England Journal of Medicine, 357(3), 266-281. doi:10.1056/NEJMra070553
- Müller, K., & Ochsendorf, F. R. (2011). Sonneneinstrahlung und Hautgesundheit: Pro und Contra. Deutsches Ärzteblatt, 108(17), 301-310.
- Wacker, M., & Holick, M. F. (2013). "Sunlight and Vitamin D: A global perspective for health." Dermato-Endocrinology, 5(1), 51-108.
- Pincus, D., et al. (2012). "The association between vitamin D status and mental health." Journal of Affective Disorders, 141(2-3), 368-374.
- Cajochen, C., et al. (2014). "Evening exposure to a light-emitting diodes (LED)-backlit computer screen affects circadian physiology and cognitive performance." Journal of Applied Physiology, 110(5), 1432-1438.
- Kerschan-Schindl, K. (2012). Infrarotlicht-Therapie: Wirkung und Anwendung bei chronischen Schmerzen. Wiener medizinische Wochenschrift, 162(19-20), 432-436. doi:10.1007/s10354-012-0157-9
- Levine, L.A., & McClintock, S.M. (2010). "Thermal Infrared Therapy: A Review of the Literature." Journal of Clinical and Aesthetic Dermatology, 3(10), 35-43.
- Golden, R.N., et al. (2005). "The Efficacy of Light Therapy in the Treatment of Mood Disorders: A Review and Meta-Analysis." American Journal of Psychiatry, 162(4), 656-662.
- Lam, R.W., et al. (2006). "Light Therapy for Seasonal Affective Disorder: A Review of Efficacy." Canadian Journal of Psychiatry, 51(8), 559-567.

6. Waldbaden und Kontakt mit der Natur

Einleitung

Der Aufenthalt in der Natur – insbesondere im Wald – ist keine bloße Freizeitaktivität, sondern eine tiefgreifende Form der Regeneration. „Waldbaden" (jap. *Shinrin Yoku*) beschreibt die achtsame, entschleunigte Begegnung mit der Waldumgebung. Zahlreiche Studien belegen mittlerweile die physiologischen und psychologischen Effekte des Aufenthalts im Wald und in naturnahen Umgebungen.

Wissenschaftlich belegte Effekte des Waldbadens

- Senkung des Cortisolspiegels: Weniger Stresshormone, messbare Entspannung
- Stärkung des Immunsystems: Erhöhte Aktivität natürlicher Killerzellen (dies sind weiße Blutkörperchen der angeborenen Immunabwehr)
- Stabilisierung von Blutdruck und Puls
- Linderung von Angst, Depression und Erschöpfung
- Verbesserung von Schlafqualität und Konzentrationsfähigkeit

Bereits 2–3 Stunden pro Woche im Wald zeigen spür- und messbare Effekte.

Achtsame Praktiken im Wald

1. Langsames Gehen (kein Wandern)

Ziel ist es, nicht anzukommen, sondern wahrzunehmen: Geräusche, Düfte, Farben, Temperatur, Wind.

2. Barfußlaufen auf natürlichem Untergrund

Dies stimuliert die Fußreflexzonen, fördert Balance und Körpergefühl, liefert Grounding-Effekte (siehe Abschnitt 19).

3. Atembeobachtung und Meditation

Bewusstes Ein- und Ausatmen, im Sitzen oder Gehen, verstärkt die regenerierende Wirkung.

4. Naturbeobachtung

Stilles Verweilen bei einem Baum, Moos, Bachlauf – fördert Präsenz und emotionale Ausgeglichenheit.

Wichtig: Jedweder Gebrauch elektronischer Geräte, auch nicht zum Musikhören, ist schwer vereinbar mit dem Prinzip der Achtsamkeit. Ein Aufenthalt im Wald sollte genutzt werden, um bewusst darauf zu verzichten.

Immunsystem und Naturstoffe: Terpene und Phytonzide

Wälder – besonders Nadel- und Mischwälder – geben **terpenhaltige Substanzen** in die Luft ab, die wir über die Atemwege aufnehmen. Diese Phytonzide wirken:

- antibakteriell
- entzündungshemmend
- immunmodulierend

Nachgewiesen u. a. in Studien von Prof. Qing Li (Tokyo): Bereits ein Waldaufenthalt von 2 Tagen steigert die NK-Zellaktivität über 7 Tage hinweg signifikant.

Naturkontakt auch im urbanen Umfeld stärken

- Parkspaziergänge, Stadtgrün nutzen
- Pflanzenpflege zu Hause: Fördert Achtsamkeit und Luftqualität
- Naturgeräusche / Waldbilder in Innenräumen: Nachgewiesener positiver Effekt auf Stress und Konzentration
- Wöchentliche Mikroabenteuer im Grünen: Auch 1–2 Stunden sind wirksam, auch Kinder lieben es.

Fazit

Waldbaden ist eine stille, heilsame Praxis – kein Fitnessprogramm. Es erlaubt dem Organismus, sich zu reorganisieren, zu entschleunigen und zu heilen. Der regelmäßige Kontakt mit der Natur wirkt wie ein biologisches Gegengewicht zu den Belastungen des Alltags – präventiv, tiefgreifend und nachhaltig.

Literatur zum Nachlesen und Vertiefen:

- Li, Q. (2018). Forest Bathing: How Trees Can Help You Find Health and Happiness. Viking.
- Hansen, M. M., Jones, R., & Tocchini, K. (2017). Shinrin-Yoku (Forest Bathing) and Nature Therapy: A State-of-the-Art Review. International Journal of Environmental Research and Public Health, 14(8), 851.
- Park, B. J., Tsunetsugu, Y., Kasetani, T., Kagawa, T., & Miyazaki, Y. (2010). The physiological effects of Shinrin-yoku (taking in the forest atmosphere or forest bathing): evidence from field experiments in 24 forests across Japan. Environmental Health and Preventive Medicine, 15(1), 18–26.

7. Ernährung und Küchenmedizin

Einleitung

„Lass deine Nahrung deine Medizin sein" – diese Maxime, die dem griechischen Arzt Hippokrates zugeschrieben wird, hat bis heute nichts an Bedeutung verloren. Eine hochwertige Ernährung gilt als die Grundlage für Gesundheit, Vitalität und Krankheitsprävention. Darüber hinaus birgt die Küche selbst ein therapeutisches Potenzial: Viele Lebensmittel und Gewürze verfügen über nachgewiesene Heilwirkungen und können gezielt als „Küchenmedizin" genutzt werden.

In diesem Abschnitt geht es um Grundlagen und, leider, auch um eine Vielzahl von Warnhinweisen. Es scheint so, dass es beim Umgang mit Nahrung mehr Fallstricke gibt, als uns lieb sein kann. Dies liegt wohl auch daran, dass unser Essverhalten zu einem guten Anteil industrielle Kost einbezieht. So reden wir über eine große Zahl an Lebensmittelzusatzstoffen, die die Nahrung schmackhafter, ansehnlicher und haltbarer machen sollen. Zusatzstoffe werden vorrangig isoliert auf ihre Sicherheit getestet – dabei weiß jedoch niemand, was sich ergibt, wenn wir Hunderte von ihnen vermischen und jahrelang in unserem Körper zusammenwirken lassen. Auf Zusatzstoffe lassen wir uns bewusst ein, zudem werden sie (nahezu immer) kenntlich gemacht, doch es gibt auch Nahrungsbestandteile, etwa Schwermetalle und Umweltchemikalien, die definitiv unerwünscht sind. Aber: Wer weiß schon, welche Mengen welcher Substanzen tatsächlich in unseren Lebensmitteln enthalten sind?

Ebenfalls wichtig ist es, Lebensmittel sachgerecht zuzubereiten, sonst können sich beispielsweise Acrylamid (Kaffee, Chips, Pommes) und Aluminium (beim Grillen oder Aufbewahren in Aluminiumschalen) als problematisch erweisen.

Der Stil dieses Buches gibt vor, dass auch dieser Abschnitt nur Auszüge aus dem umfangreichen Thema Ernährung liefert. Dennoch werden viele Schlüsselthemen angerissen, einige sogar ausführlich diskutiert; gleichwohl stehen gründlichst recherchierte, stichpunktartige Übersichten im Vordergrund. Diese liefern Stichworte, die – sind sie erst bekannt – bei Bedarf leicht vertieft werden können.

Ein besonderes Anliegen ist über die Kraft der Mikronährstoffe zu informieren. Diese sind Vitamine, Mineralien und weitere Nahrungsbestandteile. Dabei wäre es ein Irrtum zu meinen, dass automatisch „alles in Ordnung" wäre, wenn wir die von den Ernährungsgesellschaften genannten Nährstoffe in den jeweiligen Mindestmengen zu uns nähmen. Denn erstens profitiert der Körper in vielen Fällen von mehr und zweitens gibt es mehr funktionelle Nährstoffe, als in den offiziellen Empfehlungen genannt werden. Einige Nährstoffe sind noch unzureichend erforscht, andere gelten als „semi-essenziell" – sie können unter den jeweiligen Bedingungen des Einzelfalls Bedeutung erlangen.

Welche essenziellen/lebenswichtigen Nährstoffe gibt es?

In der klassischen Betrachtung reden wir über die Fettsäure Alpha-Linolensäure, aus der (theoretisch) alle anderen Fette gebildet werden können, über Aminosäuren als Bausteine der Eiweiße sowie über Vitamine und Mineralien als Mikronährstoffe. Kohlenhydrate gelten nicht als essenziell, weil der Körper sie selbst bilden kann. Um unseren Energiebedarf zu decken, genügt es prinzipiell (praktisch eher nicht), genug Fette und genug Protein zu uns zu nehmen.

Um die Aminosäuren kreisen nur geringe Kontroversen. Man ist sich über die Zahl der essenziellen Aminosäuren, aus denen alle anderen gebildet werden können, einig. Jedoch stellt man fest, dass es lebensnahe Situationen gibt, in denen auch die nicht-essenziellen Aminosäuren dem Körper dringend zugeführt werden sollten.

Über die Menge an Eiweiß, die der Körper benötigt, weiß man gut Bescheid. Sportler sind eine typische Personengruppe mit erhöhtem Bedarf, wenngleich immer noch lebhaft diskutiert wird, wie hoch genau er denn bei welcher Sportart wäre. Wissenschaftler gehen damit gelassener um als die Sportler selbst, die oft dem Motto folgen „wenigstens habe ich nicht zu wenig Protein verzehrt", wobei entsprechende Sportgetränke häufig gut schmecken und lebhaft vermarktet werden.

Es gibt **13 Vitamine**, nämlich die fettlöslichen Vitamine A, D, E, K und die wasserlöslichen Vitamine C sowie 8 weitere, die zum Komplex der B-Vitamine gehören: B1, B2, B3, B5, B6, B12, Biotin und Folat.
Daneben gibt es rund **24 Mineralien (Mineralstoffe und Spurenelemente):** 13, deren Funktion seit ca. 1950 bekannt ist, nämlich Calcium, Phosphor, Magnesium, Natrium, Chlor, Kalium, Schwefel, Eisen, Kupfer, Kobalt, Zink, Jod, Mangan; um 1970 traten 3 weitere hinzu: Fluor, Molybdän, Selen; etwa seit 1980 weiß man zudem um Arsen*, Bor, Blei*, Lithium, Nickel, Silizium, Zinn, Vanadium.

*: Arsen und Blei haben möglicherweise Funktionen im Körper, die jedoch noch nicht entschlüsselt werden konnten; bekannt ist, dass beide toxisch wirken, wenn sie in mehr als geringsten Mengen zugeführt werden.

Vitamine sind wohl die am besten erforschten Mikronährstoffe überhaupt. Im Zuge der Corona-Pandemie hat sich verdichtet, dass offenbar ein höherer Bedarf an Vitamin D besteht, als es bislang angenommen wurde. Dies gilt jedenfalls dann, wenn die möglichen Vorteile, die Vitamin D für die Immunabwehr in Aussicht stellt, greifbar sein sollen. Vitamin D wird mit Recht als den Hormonen zugehörig bezeichnet, weil der Körper Vitamin D unter Sonneneinstrahlung selbst bilden kann.

Dies trifft keinesfalls auf Vitamin C zu. Dennoch gibt es Stimmen in der Literatur, die auch Vitamin C eine hormonähnliche Wirkung zuweisen. Der Grund: Anders als viele Säugetiere wie Hunde und Katzen hat der Mensch evolutionär die Fähigkeit eingebüßt, Vitamin C selbst zu bilden. Der Preis dafür scheint zu sein, dass bei

Menschen (wie bei Tieren, die Vitamin C selbst nicht bilden können) sehr viel mehr vom Stresshormon Cortisol zirkuliert. Führt der Mensch jedoch große Mengen Vitamin C zu, so sinken die Cortisolwerte deutlich. Wenigstens formal lässt sich daher Vitamin C ein Einfluss auf das wichtige Stresshormon Cortisol bescheinigen. Ob dies genügt, um Vitamin C in die hormonähnliche Nähe von Vitamin D zu rücken, ist fraglich. Bemerkenswert: Selbst mittelgroße Hunde können im Falle einer Infektion täglich in der Größenordnung von bis zu 20 g (!) Vitamin C selbst bilden. Dies rechtfertigt kritisch zu hinterfragen, ob die von den Ernährungsgesellschaften je nach Personenkreis mit der Nahrung aufzunehmen empfohlenen rund 100–150 mg Vitamin C pro Tag unter allen Umständen genügen könnten.

Eine Faustregel der Ernährungspraxis ist, dass beim Einsatz von Nahrungsergänzungsmitteln immer alle 8 Vitamine des B-Komplexes kombiniert zugeführt werden sollten. Dies beruht auf dem Gedanken, dass viele der B-Vitamine gemeinsam an körperlichen Prozessen beteiligt sind.

Auch die Vitamine D und K werden als funktionelle Einheit betrachtet, weshalb sie oft als kombinierte Nahrungsergänzungsmittel angeboten werden. Wichtig erscheint die Einschätzung vieler Experten, dass Magnesium, ein Mineralstoff, mit dem viele Menschen unterversorgt sind, entscheidend ist, um Vitamin D in seine aktive Form zu überführen.

Um Vitamin A kreisen einige Kontroversen. Es gilt als gesichert, dass viele Menschen die Umwandlung pflanzlicher Vorstufen von Vitamin A in die bioverfügbaren Retinole nur schlecht leisten können. So schlecht, dass sie faktisch auf tierische Vitamin-A-Quellen wie Eidotter und Leber angewiesen sind. Dementsprechend dürfte es eine Zahl von Veganern und Vegetariern geben, die nur unwahrscheinlich ausreichend mit Vitamin A versorgt sind.

Auch einige B-Vitamine, etwa B6, B12 und Folat, werden in der öffentlichen Diskussion bezüglich ihrer optimalen Darreichungsform diskutiert. Dies hat vor allem Bedeutung für die Zusammensetzung von Nahrungsergänzungsmitteln.

Das Leben hat seinen Ursprung im Wasser, darin gelöste Mineralien wurden entwicklungsgeschichtlich früher als Vitamine in körperliche Abläufe integriert. Dies rechtfertigt die Aussage, dass Mineralien fundamentalere Nährstoffe als Vitamine sind. Es gilt die Faustregel, dass eine Versorgung mit Mineralien am ehesten gelingt, wenn man dem Körper große Nahrungsmengen unterschiedlicher Art und Herkunft anbietet, um die enthaltenen, oft nur geringen Mengen „herauszufiltern".

Um sich nicht zu überessen, braucht es dann aber Nahrungsmittel mit eher geringer Energiedichte, also wenig Brennwert („Kalorien") pro 100 Gramm Gewicht. Diese Nahrungsmittel sind vor allem (aber nicht nur) pflanzlich, es geht im Besonderen um Obst und Gemüse, Kräuter, Salate … Bor und Lithium sind zwei für unsere

Gesundheit äußerst wichtige Spurenelemente, die durch so ein Ernährungsverhalten in für den Körper vorteilhafter Menge zugeführt werden können.

Ballaststoffe sind wichtig für die Verdauung und für die Darmbarriere, sie tragen wesentlich zu einem gesunden Darm bei. Ihre gesundheitsfördernde Wirkung wird wesentlich (aber nicht nur) durch die Bildung kurzkettiger Fettsäuren wie Butyrat vermittelt. Diese entstehen, wenn Darmbakterien Ballaststoffe verstoffwechseln. Diesen Mechanismus zu kennen ist auch deshalb nützlich, weil sich damit gute Anhaltspunkte für das Verständnis einzelner Nahrungsergänzungsmittel ergeben. So werden kurzkettige Fettsäuren als Kapseln angeboten; die Einnahme von Apfelessig unterstützt gewisse Darmbakterien, die in der Folge mehr Butyrat bilden.

Je nach Stelle in der Literatur werden auch Ballaststoffe zu den Mikronährstoffen gezählt. Für die Zwecke dieses Buches lässt sich das perfekt für einen Überblick in Form einer „Mikronährstoffpyramide" nutzen.

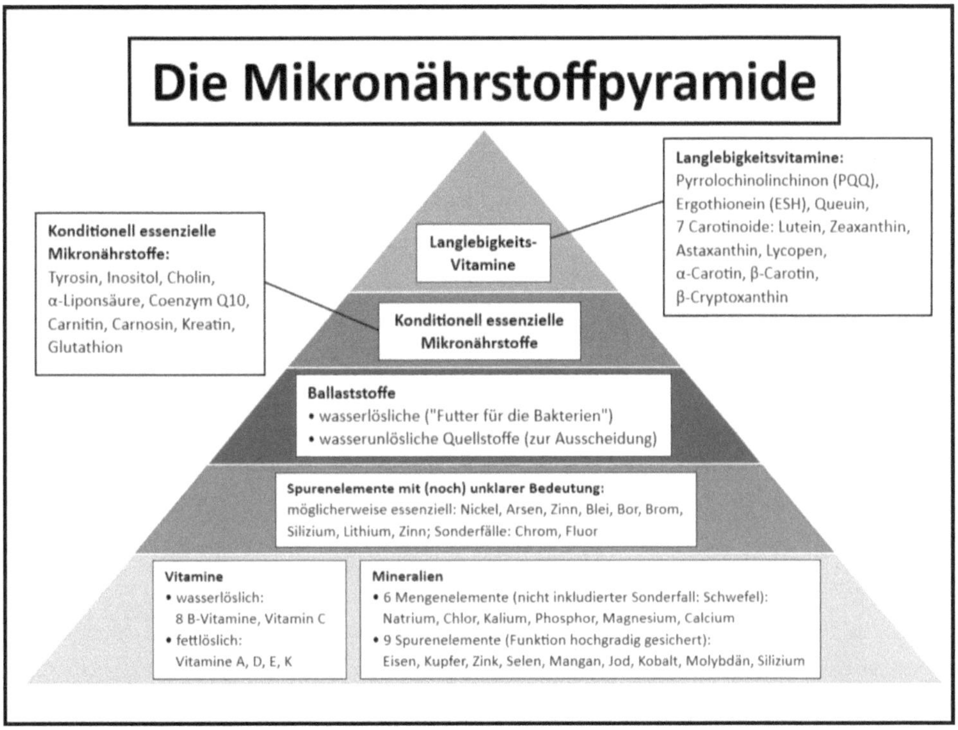

Beispiele für wasserlösliche Ballaststoffe sind: Inulin, Pektin, Beta-Glucan und die Schalen von Flohsamen (Psyllium). Inulin findet sich etwa in Spargel, Kohl und Zwiebeln, Pektin in Beeren, Äpfeln und Birnen; Hafer, Gerste und Hefeflocken sind reich an Beta-Glucanen.

Beispiele für wasserunlösliche Ballaststoffe sind: Cellulose, die in fast allen Pflanzen der Bildung von Zellwänden dient, und Resistente Stärke.

Zu den *konditionell essenziellen Nährstoffen* (links oben in der „Pyramide") ist zu sagen, dass sie vor allem (aber nicht nur) in tierischer Nahrung enthalten sind. Ein Beispiel ist Kreatin, das als besterforschtes Nahrungsergänzungsmittel gilt. Nicht nur Sportler nehmen es ein, es unterstützt bereits in geringer Dosis die Gehirnfunktion. Cholin, das in großen Mengen in Eiern vorkommt, kann dabei helfen, das Leberfett zu begrenzen oder gar abzubauen. Coenzym Q10 ist ein fantastischer Stoff, der die Energieerzeugung in den Mitochondrien, den „Kraftwerken der Zellen", unterstützt. Für Personen, die beispielsweise Statine (Cholesterinsenker) oder das Diabetesmedikament Metformin einnehmen, kommt es dringend in Frage, Nahrung wie Rinderherz, die reich an Coenzym Q10 ist, zu verzehren oder ein entsprechendes Nahrungsergänzungsmittel einzunehmen. Dies kann „bleierner Schwere" und Muskelschmerzen infolge eines gestörten Energiestoffwechsels vorbeugen.

Dies ist ein Beispiel nicht nur dafür, dass Medikamente Nebenwirkungen haben können, sondern auch für die Potenz einzelner Substanzen, die nur beiläufige Bestandteile der Nahrung zu sein scheinen, weil der Körper sie eigentlich selbst bilden kann bzw. unter normalen Umständen bilden können sollte. Nicht zuletzt gibt dies einen Hinweis darauf, dass Nahrungsergänzungsmittel alles andere als überflüssig sind. Man kann sie durchaus als *„konditionell äußerst sinnvoll"* bezeichnen.

Der Begriff „Langlebigkeitsvitamine" wirkt sperrig, er ist in wörtlicher Übersetzung der englischsprachigen wissenschaftlichen Literatur („Longevity Vitamins") entlehnt. Wichtig ist, dies nicht für einen Scherz zu halten. Es geht um namhafte Wissenschaftler, die mit den genannten Substanzen die Möglichkeit einer Verlängerung des Lebens verbinden. Zwei der angeführten Carotinoide, nämlich Lutein und Lycopen, findet man gelegentlich auch in eher günstigen Multi-Vitamintabletten. Astaxanthin ist das populäre Carotin, das dem Fleisch des Lachses seine rote Farbe gibt. Es ist ein starkes Antioxidans, das unter anderem die Ausdauer erhöht.

Auch Pyrrolochinolinchinon (PQQ) findet man gelegentlich als Bestandteil von (meist teureren) Vitamin-Tabletten

Es geht nicht darum, all dies auswendig zu lernen. Es genügt ein Verständnis dafür zu entwickeln, dass Lebensmittel durch die darin enthaltenen Nährstoffe eine enorme Potenz haben, unser Leben zu beeinflussen. Wenn, ja wenn sie denn reich an Nährstoffen sind! Industriekost ist weit von ihrem natürlichen Zustand entfernt, mit jedem Schritt der Veränderung verliert sie etwas von dem, was sie in ihrer natürlichen Form einmal war. Ein wichtiges Prinzip guter Ernährung fordert daher qualitativ hochwertige Kost. Dies ist in vielerlei Hinsicht gleichbedeutend mit einem geringen Grad der Verarbeitung.

Ist minimal genug, ab wann ist es zu viel?

Im Umgang mit der empfohlenen Nährstoffzufuhr gibt es zwei sich auffallend unterscheidende Positionen. Die einen betonen, dass es gar nicht so leicht wäre, einen Mangel an Nährstoffen zu erfahren, zumal die Länder Westeuropas als wohlhabend gelten und die Regale der Supermärkte eine große Auswahl bieten. Die anderen betonen, dass es keinen zwingenden Zusammenhang zwischen dem großen Angebot kalorienreicher, oft verarbeiteter Nahrung und der Wahrscheinlichkeit, dem Körper alle Nährstoffe in der richtigen Menge zuzuführen, gibt. Auch wird angeführt, dass etwa heutiges Obst und Gemüse nicht mehr so nährstoffreich wie vor Jahrzehnten sind. Überhaupt: Ist die richtige Menge an Nährstoffen jene, bei der man gerade eben keinen Mangel erleidet – oder gibt es eine funktionelle Bandbreite, in der etwas mehr vielleicht sogar besser sein könnte? Macht es Sinn, einen „Sicherheitsaufschlag" zu erwägen, um einen individuell höheren Bedarf zu decken? Das nachfolgende Bild liefert grundsätzliche Antworten.

Quelle (modifiziert): Figure 2-1 aus: Institute of Medicine. *Dietary Reference Intakes: Dietary Reference Intakes: The Essential Guide tu Nutrient Requirements.* Nazarlensinpess, 2006. Zugriff über NCBI Bookshelf: https://www.ncbi.iml.nih.gov/books/NBK465020/

Provokant ausgedrückt, ist die empfohlene Zufuhr jene, die mit hoher Wahrscheinlichkeit Schaden abwendet. Doch ist dieser Anspruch nicht vielleicht zu wenig des Guten? In der Praxis liefert nicht jede Mahlzeit die gleichen Nährstoffmengen im gleichen Verhältnis. Beispielsweise infolge eines hohen Stressaufkommens, Geldmangels, Krankheit, schwankender Außentemperaturen und vielem mehr kann die Nahrungsaufnahme variieren. Wie sollten wiederkehrende Phasen eines

Mangels vermieden werden, wenn der Maßstab eine „empfohlene Zufuhr“, also die Abwendung von Schaden wäre? Da der „Bereich der sicheren Zufuhr“ sicherlich für jeden Nährstoff eine andere Ausdehnung hat, aber in jedem Fall breit ist, macht es nur Sinn, im Regelfall mehr Nährstoffe zuzuführen, als es der empfohlenen Zufuhr entspricht.

In der Praxis setzen viele Leute dies um, indem sie an mehreren Tagen pro Woche geringdosierte, breit zusammengesetzte Nahrungsergänzungsmittel einnehmen. Mit „geringdosiert“ ist gemeint, dass dies zum Beispiel ein Bruchteil der täglich empfohlenen Zufuhr sein kann, mit „breit zusammengesetzt“ ist gemeint, dass bevorzugt alle Mikronährstoffe zugeführt werden.

Selbstverständlich kann man sich im Einzelfall auf typische Mikronährstoffe wie Magnesium, jene für die „ordnungsgemäße Funktion der Immunabwehr“ wie Zink und Vitamin C, B-Vitamine „für die Nerven“ und „für den Energiehaushalt“ sowie Vitamin D „für die Gesundheit der Knochen“ beschränken. Vieles ist möglich, selten ergibt sich die gleiche Zufuhrempfehlung, wenn 2 Fachleute einen Einzelfall bewerten. Kurz: „Jeder sagt etwas anderes – aber was ist denn nun richtig?“

Hierzu ein Vorschlag: Richtig ist, dass es in Anbetracht eines hohen Angebotes an hochverarbeiteter, relativ mikronährstoffarmer Industriekost nicht schwer ist, sich zu überessen, also zu viel Energie zuzuführen, während Vitamine, Mineralien, gesunde Fette und hochwertiges Protein zu kurz kommen können.

Richtig ist auch, dass Menschen, die sich hochgradig fordern – darunter Sportler, jene die körperlich schwer arbeiten, Schichtarbeiter etc. – mit hoher Wahrscheinlichkeit einen erhöhten Bedarf haben, der erstmal gedeckt sein will.

Zudem hat sich herumgesprochen, dass es Nährstoffe gibt, die erst mit zunehmender Zufuhr ihre vollen funktionellen Eigenschaften entfalten.

Als Schlussfolgerung bietet sich an: Es kommt in Frage, für die Zufuhr von Mikronährstoffen einen Sicherheitsaufschlag einzuplanen. Das dabei anzubringende Verständnis von Sicherheit berücksichtigt eine aus vielen Gründen der täglichen Lebensführung variable Zufuhr, die auch an Tagen einer geringeren Versorgung funktionell ausreichend sein sollte; ebenso lässt dies Spielraum für die Vorstellung, dass eine über dem Minimalbedarf angesiedelte Zufuhr einen Mehrwert in Aussicht stellen könnte.

Grundpfeiler einer gesunden Ernährung: „Dos" – was wir tun sollten

1. Iss pflanzenbasiert und vollwertig

- Gemüse, Obst, Vollkorngetreide, Hülsenfrüchte, Nüsse und Samen
- So ist deine Ernährung reich an Mikronährstoffen (Ballaststoffe, sekundären Pflanzenstoffe, Vitamine und Mineralien).

2. Iss frisch und saisonal

- Diese Auswahl liefert die höchste Nährstoffdichte.
- Regionale Produkte haben kurze Transportwege, sind ökologisch sinnvoll.

3. Bevorzuge hochwertige Fette

- Kaltgepresste Öle (z. B. Lein-, Oliven-, Walnussöl)
- Achte besonders auf ein ausgewogenes Verhältnis von Omega-3- zu Omega-6-Fettsäuren – dies wirkt entzündungshemmend.

4. Ziehe in Betracht, auch Fleisch, Fisch und Eier zu essen

- Sie sättigen durch einen hohen Proteingehalt.
- Sie liefern wertvolle Nährstoffe wie Carnitin, Creatin und Cholin.

5. Sei achtsam

- Langsames, bewusstes Kauen fördert Sättigung und Verdauung, dies hilft, sich nicht zu überessen.
- Fehlt die Aufmerksamkeit beim Essen, steigt das Risiko, unbewusst zu viel, das Falsche oder ohne Genuss zu essen.

Übrigens: In Punkt 3 war es einmal mehr, das Wort „**entzündungshemmend**". Warum ist es sinnvoll, Entzündung zu hemmen? Eine solche Ernährung kann zur langfristigen Gesunderhaltung beitragen, da viele Erkrankungen – etwa Herz-Kreislauf-Leiden, Typ-2-Diabetes, bestimmte Krebsarten und neurodegenerative Krankheiten wie Demenz – mit „stillen" systemischen Entzündungen im Körper in Verbindung stehen. Ein Marker zur Einschätzung solcher Entzündungsprozesse ist das **hochsensitive C-reaktive Protein (hs-CRP)**. Dieses wird in der Leber produziert und steigt bei entzündlichen Reaktionen im Körper an – selbst bei niedrigen, unterschwelligen Entzündungen, die keine akuten Symptome verursachen. Eine Ernährung, die reich an Omega-3-Fettsäuren, bunten Gemüse- und Obstsorten, Ballaststoffen sowie arm an industriell verarbeiteten Lebensmitteln ist, kann helfen, hs-CRP-Werte zu senken und so das Risiko chronischer Erkrankungen zu reduzieren.

Muss es vegan oder vegetarisch sein?

■ Es ist unstrittig, dass Veganer Maßnahmen ergreifen sollten, um einer Unterversorgung mit bestimmten Mikronährstoffen vorzubeugen – insbesondere (aber nicht nur) mit Vitamin B12, Vitamin A, Jod, Omega-3-Fetten. Dies setzt ein gewisses Maß an Wissen und Kompetenz voraus, was auch vom Zugang zu Bildung und sozialen Umständen abhängt. Besonders Menschen mit eher geringem Einkommen, ältere oder kranke Personen sowie Kinder sind potenziell gefährdet, durch den vollständigen Verzicht auf tierische Produkte in eine Nährstofflücke zu geraten. Daher erscheint es sinnvoll, diese Ernährungsweise nicht pauschal zu fordern, sondern differenziert über mögliche Risiken aufzuklären. Veganer ernähren sich in der Regel sehr ballaststoffreich – was ein klarer Vorteil ist. Die verbreitete Behauptung, vegane Ernährung sei grundsätzlich eiweißarm, ist zwar falsch, doch eine Tendenz hierzu besteht, wenn nicht eine gezielte Lebensmittel-Auswahl getroffen wird. Werden stark verarbeitete Produkte gemieden, kann die vegane Ernährung Vorteile im Hinblick auf entzündliche Erkrankungen, Bluthochdruck und Diabetes bieten.

■ Vegetarier profitieren davon, dass sie zusätzlich zu pflanzlichen Lebensmitteln auch Eier sowie Milch und Milchprodukte in ihre Ernährung integrieren können. Diese liefern wertvolle Nährstoffe: Durch jodiertes Tier-Futter enthalten Eier und Kuhmilch in der Regel gute Mengen an Jod. Wer Kuhmilch nicht verträgt – etwa wegen Laktose oder Milchproteinen – findet in Ziegen- und Schafsmilch oft gut verträgliche Alternativen. Eier sind ausgesprochen nährstoffreich und tragen wesentlich zur Deckung des Nährstoffbedarfs bei. Auch für Vegetarier gilt: Der Anteil hochverarbeiteter Produkte sollte möglichst gering bleiben.

■ Jeder Mensch ist anders. Nicht alle kommen mit einer rein pflanzlichen Ernährung gut zurecht. Manche vertragen Gluten, Lektine oder Ballaststoffe nur schlecht – in solchen Fällen verbessert sich das Wohlbefinden oft erst wieder mit dem reichlichen Verzehr von Fleisch, Fisch und Eiern. Besonders vorteilhaft kann es sein, tierische Lebensmittel ganzheitlich zu nutzen – das sogenannte „Nose-to-Tail"-Prinzip. So ist Leber eine ausgezeichnete Quelle für Vitamin A, das Herz liefert viel Coenzym Q10, und aus Haut oder Knorpel gewinnt der Körper kollagenes Eiweiß – ein wichtiger Baustein für Bindegewebe, Sehnen und Knorpelstrukturen.

Fazit: Für viele Menschen ist eine individuell angepasste Mischkost optimal. Persönliche Präferenzen sollten bewusst umgesetzt und hinsichtlich der Versorgung mit allen Nährstoffen kritisch hinterfragt werden. Dies ist anspruchsvoll und gelingt am ehesten mit Unterstützung von Fachleuten. Immer gilt: Die Ernährung sollte vielseitig und der Anteil hochverarbeiteter Nahrungsmittel sollte gering sein.

Wie viel und was sollte man trinken?

Es gibt keine zwingenden Trinkmengen, wohl aber individuelle Bandbreiten. Faustregel: Der Urin sollte eher hell sein. Wer sehr viel trinkt, droht sich zu demineralisieren, wer sehr wenig trinkt, droht sich zu entwässern. Wichtig: Kinder und ältere Menschen haben kein zuverlässiges Durstempfinden. Beide profitieren nicht nur bei sommerlichen Temperaturen davon, ans Trinken erinnert zu werden.

Die Auswahl der Getränke sollte nicht nur dem Verstand folgen, sondern individuelle Vorlieben berücksichtigen, wobei es im Einzelfall um komplexe Emotionen gehen kann. Vegan oder nicht, wer weiß, dass manche Säfte beim Herstellungsprozess mit Gelatine gefiltert werden, verzichtet vielleicht lieber. Wer sich bewusst macht, dass für manche Mineralwässer kaum nachvollziehbare Preise aufgerufen werden, kann eine prinzipielle Abneigung gegen dieses Geschäftsmodell entwickeln.

Leitungswasser wird medial immer wieder als „bestkontrolliertes Lebensmittel" bezeichnet, allerdings kann man nur finden, wonach man sucht. Leitungswasser hat wie einige überraschend günstige Mineralwässer, die in Discountern angeboten werden, meist die Eigenschaft, nur gering mineralisiert zu sein. Anders als gut ausgewähltes Mineralwasser leistet derlei Wasser kaum messbare Beiträge zur Versorgung etwa mit den Mineralstoffen Calcium und Magnesium, den Spurenelementen Lithium und Silizium und dem basenbildenden Bicarbonat.

Gerade Sportler, die einen hohen Nährstoffbedarf haben, alte und kranke Menschen, deren Bereitschaft zur Nahrungsaufnahme gering ist, profitieren jedoch von der Aufnahme nährstoffreicher Flüssigkeiten. Richtig ist aber, dass die Beschaffung von Getränken ein logistisches Problem darstellen kann, das gerade alte Menschen kaum lösen können. Wer aus diesem Grund vorrangig auf Leitungswasser setzt, sollte nicht zu sparsam sein und der Regel folgen, dass es erst getrunken werden sollte, wenn es nach langem Laufenlassen nicht mehr kälter wird.

Die Anschaffung eines Wasserfilters sollte immer von Fachleuten begleitet werden, die die Wasserqualität am Wohnort, die Installation im jeweiligen Wohnhaus und das Nutzerverhalten berücksichtigen. Wichtig: Ein Filter macht nur Sinn, wenn man bereit ist, ihn wie vom Anbieter vorgeschrieben regelmäßig zu warten und auszutauschen. Ansonsten könnte das Gegenteil vom eigentlich Gewollten eintreten.

Mineralwasser und andere Getränke wie Frucht- und Gemüsesäfte können einen wichtigen Beitrag zur Versorgung mit Mineralien leisten.

Grundpfeiler einer gesunden Ernährung: „Dont's" – besser nicht!

1. Spare an hochverarbeiteten Nahrungsmitteln

- Sie sättigen schlecht, es droht ein Überessen.
- Meist sind sie arm an Mikronährstoffen.

2. Spare an „leeren Kalorien"

- Weißmehlprodukte, Haushaltszucker, Alkohol gehören in diese Kategorie.
- Sie liefern Energie, sättigen wenig und liefern wenig Mikronährstoffe.
- Alkohol selbst macht nicht dick, doch er fördert Hunger und Kontrollverlust beim Essen.

3. Meide Transfette

- Sie sind Stoffwechseldisruptoren, sorgen für Entzündung und stören den Blutzuckerhaushalt. Jede Menge ist nachteilig!
- Typische Quellen sind Popcorn, Chips, Flips, viele Backwaren und Frittiertes sowie (zu) hoch erhitzte Pflanzenöle. (Fürs Braten bei hohen Temperaturen eignen sich Butterschmalz, Kokosöl und „natives Olivenöl extra".)
- Auf Nahrungsetiketten steht nie „enthält Transfette"; Vorsicht bei Angaben wie: „pflanzliches Fett, zum Teil gehärtet", „ungesättigte Fettsäuren, enthält gehärtete Fette", „Fett, teilgehärtet", „Fett teilweise hydrogenisiert"; Entwarnung gibt's bei „**vollständig** gehärtetem Fett".

4. Meide gezuckerte Getränke

- Sie sättigen weniger, als es ihrem Brennwert entspricht.
- Wenn überhaupt, nimm sie bevorzugt mit den Mahlzeiten zu dir.

5. Vermeide es, nachts zu essen

- Nahrung sättigt nachts weniger als tagsüber.
- Falls es sich nicht vermeiden lässt, halte die Portionen nachts eher klein.

Ein überraschender Schlüssel zu guter Ernährung ist, von seiner Ernährung nicht zu viel (vom Falschen!) zu erwarten. Wer maximalen Geschmack will und darin geübt ist, Stress durch besonders viel oder besonders gut schmeckende Nahrung zu mildern, wer soziale Kontakte zwingend mit reichhaltigem Essen verbindet, neigt zum Überessen. Aus einer gewohnheitsgemäß hohen Energiezufuhr resultiert mit hoher Wahrscheinlichkeit mit der Zeit Übergewicht, das mit chronischen Erkrankungen wie Bluthochdruck und gestörter Regulation des Blutzuckers assoziiert ist. Um dies zu vermeiden, helfen erfahrungsgemäß nicht einzelne „Tricks & Kniffe", sondern grundlegende Einsichten. Gehe spazieren, mache in einem zu deiner Lebensführung passenden Ausmaß Sport, sorge mit Atemübungen und mehr für Stressreduktion. Belohne weder dich noch andere bevorzugt mit Süßem und reichhaltigen Mahlzeiten, trau dich zu sagen: *„Es darf schmecken, aber ein bisschen genügt"*, *„Sättigung und Mikronährstoffe sind wichtiger als Geschmack"* und *„Jetzt unterhalten wir uns, das Essen erledigen wir später"*. Kinder können lebenslang Vorteile davontragen, wenn sie in den ersten Jahren ihres Lebens nicht darauf konditioniert werden, positive Empfindungen möglichst oft mit Nahrungsaufnahme zu verknüpfen.

Küchenmedizin – Wohlergehen mit Gewürzen, Kräutern und Hausmitteln

Es muss nicht immer Heilung sein. Auch präventiv zu handeln, zu sehen, dass sich Beschwerden nicht mit der Zeit verschlimmern und dem Alter zu trotzen, auch das lohnt sich. Unscheinbare Maßnahmen, die mit der Zeit viel leisten können, wirken antibakteriell, antientzündlich, stärken den Darm und das Immunsystem, verscheuchen Parasiten, helfen bei Gelenkbeschwerden und noch mehr. In diese Kategorie fällt der regelmäßige Verzehr der nachfolgend genannten „Zauberpflanzen".

1. Ingwer (Zingiber officinale)

- Entzündungshemmend, schleimlösend, durchblutungsfördernd
- Ingwer hilft bei Übelkeit, Erkältung und Gelenkbeschwerden.

2. Kurkuma (Curcuma longa)

- Enthält Curcumin, ein starkes Antioxidans mit leberschützender und antientzündlicher Wirkung
- Bioverfügbarkeit steigt durch Kombination mit schwarzem Pfeffer und Fett

3. Knoblauch (Allium sativum)

- Antibakteriell, antiviral, cholesterinsenkend, blutdruckregulierend

4. Zwiebeln, Lauch, Schnittlauch (Alliaceae)

- Sie unterstützen die Darmgesundheit, wirken immunmodulierend.

5. Apfelessig

- Basenregulierend, stoffwechselanregend, unterstützt die Verdauung
- Anwendung: 1 TL in lauwarmem Wasser einige Minuten vor dem Essen

6. „Goldene Milch"

- Kurkuma, Ingwer, Zimt, schwarzer Pfeffer in Pflanzenmilch – tut gut bei Gelenkschmerzen, Erkältungen, Unruhe; wirkt entzündungshemmend

Fazit

Ernährung ist mehr als Kalorienaufnahme oder Gaumenschmaus – sie ist tägliche Medizin, Informationsquelle für unsere Zellen und Ausdruck bewusster Achtsamkeit. Ernährungsregeln mögen spröde oder bürokratisch wirken, doch sie bieten eine hilfreiche Orientierung im Umgang mit den typischen Fallstricken moderner Lebensweisen. Viele Empfehlungen scheinen Einschränkungen zu sein – sie sind jedoch kein Selbstzweck, sondern oft eine notwendige Antwort auf ein Überangebot industriell verarbeiteter Produkte, das unserem Körper langfristig nicht guttut. In diesem Sinne wird ein bewusstes „Nein" zu bestimmten Lebensmitteln zu einer Haltung – einer Entscheidung für Gesundheit, was Selbsterkenntnis und Übung erfordert. Beides, Einsicht und Veränderung, kann aus offenen Gesprächen und gemeinsamen Absprachen innerhalb der Familie entstehen. Vielleicht beginnt alles mit einem Versuch, Gewohnheiten im häuslichen Alltag behutsam zu verändern? Wer handelt, gewinnt Erkenntnisse und die Möglichkeit, sich zu verbessern. Dieser kompakt gehaltene Abschnitt soll vor allem Interesse wecken, zur Auseinandersetzung mit dem Thema einladen, Lust auf mehr machen. Das lohnt sich!

Literatur zum Nachlesen und Vertiefen:

- Aggarwal, B. B., & Sung, B. (2009). Pharmacological basis for the role of curcumin in chronic diseases: an age-old spice with modern targets. Trends in Pharmacological Sciences, 30(2), 85–94.
- Zhang, Y., et al. (2023). Dietary fiber intake and all-cause and cause-specific mortality: An updated systematic review and meta-analysis of prospective cohort studies. Clinical Nutrition, 42(1), 1–10.
- Wang, Yu, et al. "Healthy dietary pattern cycling affects gut microbiota and cardiovascular disease risk factors: results from a randomized controlled feeding trial with Young, healthy adults." Nutrients 16.21 (2024): 3619.
- Zhang, D., et al. (2021). Water intake and risk of type 2 diabetes: A systematic review and meta-analysis of observational studies. Diabetes & Metabolic Syndrome: Clinical Research & Reviews, 15(4), 102188.
- Mo, Q., et al. (2025). Plant-based diets and total and cause-specific mortality: A meta-analysis of prospective studies. Frontiers in Nutrition, 12, 1518519.
- Dybvik, J. S., et al. (2023). Vegetarian and vegan diets and the risk of cardiovascular disease, ischemic heart disease and stroke: a systematic review and meta-analysis of prospective cohort studies. European Journal of Nutrition, 62, 51–69.
- Kim, Y., et al. (2021). Is eating a mixed diet better for health and survival?: A systematic review and meta-analysis of longitudinal observational studies. Clinical Nutrition, 40(4), 1–10.

8. Fasten und Heilfasten

Einleitung

Fasten ist eine bewusste, zeitlich begrenzte Form des Nahrungsverzichts mit dem Ziel körperlicher und geistiger Reinigung. Es ist keine Diät, sondern eine Methode der Besinnung und Regeneration. Heilfasten wurde über Jahrtausende hinweg in spirituellen, medizinischen und kulturellen Kontexten praktiziert – heute ist seine Wirkung auch wissenschaftlich umfassend erforscht.

Physiologische Effekte des Fastens

- Autophagie: Zellen recyceln beschädigte Bestandteile – ein Selbstreinigungsprozess, der durch Fasten aktiviert wird
- Chronisch stille Entzündungen können reduziert werden.
- Stabilisierung von Blutzucker und Insulinspiegel
- Fettstoffwechsel: Der Körper nutzt eigene Fettreserven als Energiequelle.
- Positive Wirkung auf Immunsystem und Darmflora

Fastenformen im Überblick

1. Intervallfasten (zum Beispiel 16:8 oder 5:2)

- Tagesrhythmus mit 16 Stunden Fasten und 8 Stunden Essfenster
- Alltagsfreundlich, hormonell regulierend, entlastend

2. Heilfasten nach Buchinger

- Klassisches therapeutisches Fasten über 5–10 Tage
- Flüssige Kost: Gemüsebrühe, Tee, Wasser, wenig Saft
- Begleitet von Einläufen, Bewegung, Ruhe und Leberwickeln

3. Basenfasten

- Kein kompletter Nahrungsverzicht, sondern gezielte Aufnahme basischer Lebensmittel
- Ziel: Entsäuerung und Regeneration des Stoffwechsels

4. „Scheinfasten"

- Kalorienreduktion auf ca. 800–1.000 kcal/Tag über 5 Tage
- Imitiert Fastenzustände bei gleichzeitig milder Nährstoffzufuhr

Kontraindikationen und Vorsichtsmaßnahmen

Nicht empfohlen bei:

- Schwangerschaft, Essstörungen, schwerem Untergewicht
- unbehandeltem Diabetes Typ I, Leber- oder Niereninsuffizienz
- schweren psychischen Erkrankungen ohne ärztliche Begleitung

Wichtige Hinweise:

- Fasten sollte immer ärztlich hinterfragt werden.
- Ausreichende Flüssigkeitszufuhr: mind. 2,5 Liter Wasser/Tee täglich
- Nach dem Fasten: behutsame „Aufbautage", langsam wieder feste Nahrung zuführen.

Geistige und seelische Dimension des Fastens

- Klarheit im Denken, innere Ruhe und Achtsamkeit
- Lösen alter Gewohnheiten: Fasten ist auch ein mentaler „Reset".
- In vielen Kulturen: Fasten als rituelle Praxis der Reinigung und Erneuerung

---

Fazit

Fasten ist ein bewährtes Mittel zur Gesunderhaltung, Entlastung und inneren Klärung – körperlich, seelisch und spirituell. Richtig angewendet, aktiviert es die Selbstheilungskräfte und bietet Gelegenheit, sich neu zu spüren und übermäßige Reizgewohnheiten loszulassen. Ob als regelmäßig eingeplanter Fastentag pro Monat oder als gelegentliches „Mikro-Fasten", bei dem zum Beispiel für 6–8 Stunden auf Nahrung verzichtet wird – Fasten ist einfach, wirkungsvoll und heilsam.

Literatur zum Nachlesen und Vertiefen:

- Longo, V. D., & Panda, S. (2016). Fasting, circadian rhythms, and time-restricted feeding in healthy lifespan. Cell Metabolism, 23(6), 1048–1059.
- Michalsen, A. (2019). Heilen mit der Kraft der Natur: Meine Erfahrung aus Praxis und Forschung. Insel Verlag.
- de Cabo, R., & Mattson, M. P. (2019). Effects of Intermittent Fasting on Health, Aging, and Disease. New England Journal of Medicine, 381(26), 2541–2551.

9. Atmung, Atemtechniken und Atemräume

Einleitung
Die Atmung ist eine der grundlegendsten Lebensfunktionen – und zugleich ein oft unterschätztes Werkzeug für Gesundheit, Regulation und inneres Gleichgewicht. Bewusstes Atmen kann Stress lindern, Schmerzen reduzieren, Emotionen ausgleichen und sogar körperliche Prozesse wie den Blutdruck oder die Verdauung beeinflussen. Sie ist jederzeit verfügbar – und in jeder Umgebung nutzbar.

Physiologie der Atmung

- Gasaustausch (O_2-Aufnahme, CO_2-Abgabe) geschieht in den Alveolen der Lunge (Lungenbläschen).
- Zwerchfellatmung/Bauchatmung ist effizienter als flache Brustatmung.
- Tiefe Atmung stimuliert den Vagusnerv – ein Schlüssel zur Entspannung und Aktivierung des parasympathischen Nervensystems (Abschnitt 18).

---

2 verbreitete Atemmuster im Alltag

- Stressatmung: ist flach, schnell, meist über den oberen Brustkorb; oft kommt es zu Atempausen, was die Stresssymptomatik erhöht
- Chronische Hyperventilation: Zu viel CO_2-Abatmung → Minderversorgung des Gehirns mit Sauerstoff

---

Atemtechniken zur Selbstregulation

1. Bauchatmung/Zwerchfellatmung

- Hände auf den Bauch legen, bewusst dorthin „atmen“; 4 Sekunden ein, 6 Sekunden aus
- Fördert Entspannung, senkt Puls und Blutdruck

2. Wechselatmung (Nadi Shodhana)

- Abwechselnd durch ein Nasenloch atmen, Wirkung: Harmonisierung der Gehirnhälften, fördert emotionale Ausgeglichenheit

3. Die 4-7-8-Technik nach Dr. Andrew Weil

- Einatmen: 4 Sekunden – Anhalten: 7 Sekunden – Ausatmen: 8 Sekunden
- Schlafinduzierend, angstlösend

4. Schnelle Atemtechniken (z. B. Wim-Hof-Methode)

- Aktivierend, immunstärkend
- Nur mit Vorsicht und Anleitung praktizieren – kann Schwindel oder Hyperventilation auslösen

---

Atemräume im Alltag schaffen

- Mikro-Pausen: 3 bewusste Atemzüge vor wichtigen Entscheidungen
- Bewusstes Seufzen: Löst Spannungen – physiologisch gesunder Reflex
- Natur als Atemraum: Frische Luft, Bäume, langsames Gehen – sie intensivieren den Atemrhythmus.
- Atemrituale am Morgen oder Abend: Sie integrieren Atemtechniken zur Aktivierung bzw. Entspannung.

Einsatz bei spezifischen Beschwerden

- Panikattacken: Verlängerte Ausatmung, Fokussierung auf den Atemfluss
- Verdauungsstörungen: Vagusnerv-Aktivierung über tiefe Bauchatmung

---

Fazit

Die Atmung ist ein jederzeit verfügbares Werkzeug zur Selbstregulation – still, effektiv und wissenschaftlich belegbar. Wer lernt, sie bewusst auszuführen, kann sie als Schlüssel zur physischen und psychischen Balance nutzen.
In Zeiten von Reizüberflutung und Dauerstress ist der Atem oft der kürzeste Weg zurück zu sich selbst.

Literatur zum Nachlesen und Vertiefen:

- Jerath, R., Edry, J. W., Barnes, V. A., & Jerath, V. (2006). Physiology of long pranayamic breathing: Neural respiratory elements may provide a mechanism that explains how slow deep breathing shifts the autonomic nervous system. Medical Hypotheses, 67(3), 566–571.
- Russo, M. A., Santarelli, D. M., & O'Rourke, D. (2017). The physiological effects of slow breathing in the healthy human. Breathe, 13(4), 298–309.
- Lehrer, P. M., & Gevirtz, R. (2014). Heart rate variability biofeedback: how and why does it work?. Frontiers in Psychology, 5, 756.

10. Schlaf, Rhythmus und Regeneration

Einleitung

Schlaf ist ein aktiver, hochkomplexer Regenerationsprozess. Während wir ruhen, laufen essenzielle Reparatur- und Speicherprozesse ab: Zellreparatur, Immunmodulation, Hormonregulation und neuronale Konsolidierung. Chronischer Schlafmangel steht heute im Zusammenhang mit einer Vielzahl von Erkrankungen – von Burnout bis Bluthochdruck. Umso wichtiger ist es, den Schlaf als zentrales Element der Selbstheilung zu pflegen.

Biologie des Schlafs

- Zirkadiane Rhythmik: Die innere Uhr steuert den Schlaf-Wach-Zyklus im 24-Stunden-Takt – beeinflusst durch Licht, Temperatur, Hormone.
- Melatonin: „Schlafhormon", ausgeschüttet bei Dunkelheit, zentral für Schlafqualität
- Schlafphasen: REM (Traumschlaf) und Non-REM (Tiefschlaf) wechseln zyklisch in einem ca. 90-minütigen Rhythmus

Funktionelle Regeneration

- Gedächtniskonsolidierung und Reparatur auf Zellebene
- Immunregulation
- Stoffwechselnormalisierung

Ursachen für Schlafstörungen

- Zu viel Licht kurz vor der Nachtruhe
- Unregelmäßige Schlafzeiten („Sozialer Jetlag")
- Stress, innere Unruhe, Übererregung des Nervensystems
- Späte Nahrungsaufnahme, Alkohol oder Koffein
- Lärm, elektromagnetische Felder, zu hohe Raum-Temperatur

Maßnahmen für gesunden Schlaf und „Schlafhygiene"

1. Rhythmus schaffen

- Gleiche Schlaf- und Aufstehzeiten, auch am Wochenende
- 90-Minuten-Takt im Auge behalten (nicht mitten im Zyklus wecken)

2. Schlafumgebung optimieren

- Dunkel, ruhig, kühl (16–18 °C)
- Kein Handy im Schlafzimmer! Datenverkehr, Netzzugang deaktivieren
- Ideal: mechanischer Wecker, Abschirmung elektromagnetischer Quellen

3. Abendroutine etablieren

- Sanfte Beleuchtung, Lesen, Atemübungen (vgl. Abschnitt 9)
- Fußbad mit Lavendel oder basischem Salz
- Kein Bildschirm ab 1 Stunde vor dem Zubettgehen

4. Auf angemessene Ernährung achten

- Letzte Mahlzeit 3–4 Stunden vor dem Schlaf
- Schlaffördernde Lebensmittel: Banane, Hafer, Mandeln, Kräutertees

---

Therapeutische Ansätze bei Schlafstörungen

- Phytotherapie: Baldrian, Hopfen, Lavendel, Passionsblume, Melisse
- Melatonin-Supplementierung (bevorzugt vorher ärztlichen Rat einholen)
- Verhaltenstherapie: Schlafhygiene praktizieren, trotz Schlafmangels an feste Aufstehzeiten halten, um den Schlafrhythmus zu unterstützen.
- Lichttherapie: Bei zirkadianen Verschiebungen oder Winterdepression

---

Fazit

Guter Schlaf ist Grundlage von Heilung, Widerstandskraft und Lebensqualität. Wer regelmäßig gut schläft, stärkt nicht nur Körper und Geist, sondern auch seine emotionale Stabilität und Regenerationsfähigkeit.

Literatur zum Nachlesen und Vertiefen:

- Walker, M. (2017). Why We Sleep: Unlocking the Power of Sleep and Dreams. Penguin Books.
- Czeisler, C. A., & Gooley, J. J. (2007). Sleep and circadian rhythms in humans. Cold Spring Harbor Symposia on Quantitative Biology, 72, 579–597.
- Kräuchi, K., & Cajochen, C. (2005). The role of melatonin and the circadian system in human sleep regulation. Neuropsychopharmacology, 30(1), S9–S14.

11. Heilpflanzen in der Hausmedizin

Einleitung

Heilpflanzen gehören zu den ältesten Heilmitteln der Menschheit. Ihre Wirkung ist durch Erfahrung, Tradition und zunehmend auch durch moderne Forschung belegt. Sie bieten sanfte, aber effektive Hilfe bei vielen Beschwerden. Die Pflanzenheilkunde (Phytotherapie) ist ein wesentlicher Bestandteil der Hausmedizin.

Grundformen der Anwendung

Welche Anwendungen gibt es? Ein Überblick mit den Vor- und Nachteilen hilft das auszuwählen, was am besten zum Bedarf, zur Haushaltsführung und zum persönlichen Geschmack passt. Wichtige Kriterien sind unter anderem die Haltbarkeit, die Kompaktheit und die Möglichkeit eines unmittelbaren Gebrauchs.

1. Tee

- Zubereitung: Aufguss (Blätter, Blüten) oder Abkochung (Wurzeln, Rinden)
- Anwendung innerlich oder äußerlich (z. B. für Umschläge, Bäder)

2. Tinkturen (flüssiger Extrakt, enthält Alkohol)

- Hochkonzentriert, lange haltbar
- Die Einnahme geschieht tropfenweise, oft mit Wasser verdünnt.
- Vorteil: Schneller Wirkeintritt, nur geringe Mengen notwendig

3. Frischpflanzensäfte

- Kurz haltbar, aber besonders wirksam (z. B. Löwenzahn, Brennnessel)

4. Ätherische Öle

- Destillierte Essenzen, oft antimikrobiell und stimmungsregulierend
- Anwendung nur verdünnt (z. B. in Massageölen oder zur Inhalation)

5. Salben und andere Mittel zum Auftragen auf die Haut

- Umgehen den Verdauungstrakt
- Wirken vor allem lokal, aber auch systemisch

Übrigens: Der medizinische Obergriff für Salben & Co. lautet „halbfeste Zubereitungen“ oder auch „Dermatika“. Darunter fallen zum Beispiel Salben, Cremes, Gele, Pasten und Lotionen.

Herstellungsanleitung für zwei bewährte Teezubereitungen

1. Beruhigungstee zur Nacht

- Unterstützt das Einschlafen, wirkt krampflösend.
- 2 TL Melisse, 1 TL Lavendel, 1 TL Baldrian – 10 Min. ziehen lassen

2. Magen-Darm-Tee

- Kamille, Pfefferminze, Fenchel zu gleichen Teilen
- Unterstützt die Verdauung, beruhigt Blähungen
- 10 Min. ziehen lassen

Überblick über einige klassische Heilpflanzen und ihre Einsatzbereiche

Pflanze	Wirkung	Anwendung
Kamille	Entzündungshemmend, krampflösend	Magen-Darm-Beschwerden, Inhalationen
Pfefferminze	Spasmolytisch, kühlend	Kopfschmerzen, Reizdarm, Übelkeit
Melisse	Beruhigend, antiviral	Schlafstörungen, Herpes
Baldrian	Einschlaffördernd	Nervosität, Schlaflosigkeit
Salbei	Adstringierend, schweißhemmend	Halsschmerzen, Schwitzen
Schafgarbe	Frauenheilkunde, verdauungsfördernd	Menstruationsbeschwerden, Völlegefühl
Löwenzahn	Leber- und gallestärkend	Frühjahrskur, Appetitanreger

(Adstringierend bedeutet „zusammenziehend“, was sich zum Beispiel auf Blutgefäße und Hautporen beziehen kann; dies kann zu einem glatteren Hautbild beitragen. Spasmolytisch bedeutet krampflösend, entspannend. Dies kann sich auf Skelettmuskeln oder auch auf die glatte Muskulatur des Magen-Darm-Traktes beziehen.)

Sicherheit und Grenzen

- Dosierung beachten: „Natürlich“ heißt nicht automatisch „harmlos“.
- Nicht alle Pflanzen sind für Schwangere, Stillende oder Kinder geeignet.
- Es sind Wechselwirkungen mit Medikamenten möglich (z. B. Johanniskraut ↔ Antidepressiva).

Fazit

Heilpflanzen sind kraftvolle Begleiter im Alltag. Sie verbinden uns mit der natürlichen Welt, fördern die Selbstverantwortung und bieten eine sanfte, aber effektive Möglichkeit zur Unterstützung der Gesundheit. Ob als wohltuender Tee, kraftvolle Tinktur oder duftende Salbe – ihre Anwendung ist einfach, wirksam und tief verwurzelt in der Hausmedizin.

Literatur zum Nachlesen und Vertiefen:

- EMA (2013). Assessment report on Matricaria recutita (L.) Rauschert, flos.
- European Medicines Agency (EMA) (2016). Assessment report on Equisetum arvense L., herba.
- Rodríguez, E., Berenguer, B., & García-Bueno, B. (2020). Equisetum arvense: New Evidence Supports Medical Use in Daily Clinic. Journal of Ethnopharmacology, 250, 112486.
- Ginger (Zingiber officinale) Monograph. Journal of Medicinal Plants Research, 2010.
- Mahady, G. B., et al. (2002). Turmeric (Curcuma longa) in the treatment of inflammatory disorders. Nutrition Journal.
- Unno, K., et al. (2011). Green tea consumption improves cardiovascular health. Journal of Nutrition.
- Chrubasik, J. E., et al. (2007). The European Journal of Pain: Brennnessel (Urtica dioica) and its role in pain relief.
- Ziment, I. (1999). Sage (Salvia officinalis) in the treatment of sore throats. American Journal of Medical Science.
- Gruenwald, J., Brendler, T., Jaenicke, C. (2004). PDR for Herbal Medicines.
- Pauli, G. F., Friesen, J. B., Gödecke, T., Farnsworth, N. R., & Glodny, B. (2010). Occurrence of Progesterone and Related Animal Steroids in Two Higher Plants. Journal of Natural Products, 73(3), 338-345.

12. Ätherische Öle und Aromatherapie

Einleitung

Ätherische Öle sind konzentrierte Pflanzenextrakte mit hohem therapeutischem Potenzial. Sie werden seit Jahrtausenden in der traditionellen Heilkunde genutzt und zunehmend auch durch moderne Forschung bestätigt. In der Aromatherapie werden sie über die Haut und Atemwege aufgenommen. Sie entfalten ihre Wirkung auf körperlicher, emotionaler und psychischer Ebene.

Was sind ätherische Öle?

- Hochkonzentrierte, flüchtige Substanzen, gewonnen durch Wasserdampfdestillation, Kaltpressung oder Extraktion
- Enthalten hundertfach konzentrierte Wirkstoffe – 1 Tropfen Pfefferminzöl entspricht ca. 28 Tassen Pfefferminztee
- Aufnahme über: Haut, Nase (olfaktorisch), Lunge (Diffusion), gegebenenfalls innerlich (nur therapeutisch, fachlich begleitet)

Wirkungsweisen

- Physiologisch: Entzündungshemmend, durchblutungsfördernd, antimikrobiell, schmerzlindernd
- Psychisch: Stimmungsaufhellend, entspannend, konzentrationsfördernd
- Energetisch/subtil: Stimulation des limbischen Systems über Riechbahn

---

Praxisnahe Anwendungsformen

1. Inhalation/Duftlampe/Diffuser

- Ideal zur Stimmungsaufhellung oder bei Atemwegserkrankungen
- Beispiele: Eukalyptus bei Erkältung, Lavendel zur Beruhigung

2. Einreibung/Massageöl

- 5–10 Tropfen auf 50 ml Trägeröl (z. B. Mandel-, Jojoba- oder Olivenöl)
- Anwendung bei Muskelverspannungen, Verdauungsbeschwerden oder zur Hautpflege

3. Bäder

- Ätherisches Öl zuerst in Emulgator (z. B. Sahne, Honig, Meersalz) geben
- Nie direkt ins Wasser träufeln – sonst sind Hautreizungen möglich

4. Kompressen/Wickel

- 1–2 Tropfen in 1 Liter warmes Wasser geben – Anwendung zum Beispiel bei Bauchschmerzen, Kopfschmerzen oder zur Immunstärkung

---

Überblick über einige klassische ätherische Öle und ihre Einsatzbereiche

Öl	Wirkung	Anwendung
Lavendel	Entspannend, schlaffördernd	Schlafprobleme, Unruhe, Hautpflege
Teebaum	Antibakteriell, antiviral	Hautunreinheiten, Insektenstiche
Pfefferminze	Kühlend, krampflösend	Spannungskopfschmerz, Übelkeit
Eukalyptus	Schleimlösend, antiviral	Erkältung, Husten
Rosmarin	Kreislaufanregend, konzentrationsfördernd	Morgenritual, Müdigkeit
Zitrone	Erfrischend, stimmungsaufhellend	Raumluftreinigung, Antriebslosigkeit

Sicherheit und Qualität

- Nur 100 % naturreine ätherische Öle verwenden (keine Parfümöle).
- Dosierung beachten: 1–3 Tropfen genügen oft („weniger ist mehr“).
- Nicht in Augen, Ohren, Schleimhäute bringen.
- Nicht innerlich anwenden, ohne Fachkenntnis wäre dies potenziell toxisch.
- Besondere Vorsicht gilt bei Kindern, Schwangeren, Epileptikern – in diesen Fällen ist die individuelle Verträglichkeit gründlich zu prüfen.

Fazit

Ätherische Öle sind kraftvolle, vielseitige Helfer in der ganzheitlichen Selbstpflege. Richtig ausgewählt und angewendet, fördern sie das körperliche Wohlbefinden und die seelische Balance. Aromatherapie ist keine „Wellnessmode“, sondern eine traditionsreiche und tief wirksame Form naturheilkundlicher Unterstützung.

Literatur zum Nachlesen und Vertiefen:

- Buchbauer, G. (2010). Biological activities of essential oils: An update. Current Bioactive Compounds, 6(1), 79–102.
- Lis-Balchin, M. (Ed.). (2006). Aromatherapy Science: A Guide for Healthcare Professionals. Pharmaceutical Press.
- Price, S., & Price, L. (2012). Aromatherapy for Health Professionals. Churchill Livingstone.

Einwurf: Hocksitz („Russian Seat")

Der Hocksitz ist eine unkomplizierte, überall und gern mehrmals pro Woche ausführbare Übung, die besonders der Rückengesundheit zugutekommt. Sie entlastet die Wirbelsäule im Wohnzimmer, auf einem Autobahnrastplatz oder im Garten. Sie fördert die Beweglichkeit der Hüften, Knie und Sprunggelenke und verbessert langfristig die Körperhaltung. Egal ob Nichtsportler, Freizeitsportler oder Athlet – praktisch jeder, der diese Position (allein oder mit Hilfe) einnehmen kann, kann vom regelmäßigen „Hocksitzen" profitieren. Wer vorrangig geht oder läuft, profitiert von zusätzlicher Belastung in der Position der „Tiefkniebeuge" und sorgt so für eine komplettere Entwicklung der Muskulatur von Oberschenkeln und Gesäß.

Einsteiger dürfen sich zu Beginn gern mit den Händen stabilisieren. Man startet mit wenigen Sekunden, macht sich gründlich mit der Position und der in den kommenden Tagen folgenden Reaktion des Körpers vertraut. Profis verweilen bis zu 10 Minuten in der Hocke. Wichtig: Die Fußsohlen bleiben vollständig am Boden, die Fußspitzen zeigen nach vorn, außer bei bewusst gewählter Variation.

Diese Übung kostet nichts – aber sie kann dem Rücken enorm nutzen.

13. Bewegung, Dehnung, sanfte Körperarbeit

Einleitung

Bewegung ist ein Grundbedürfnis des Körpers – ebenso wichtig wie Nahrung, Schlaf oder Atmung. Regelmäßige, bewusste Bewegung aktiviert nicht nur Muskulatur und Kreislauf, sondern auch Stoffwechsel, Immunsystem und Emotionen. Hier geht es nicht um Sport, sondern um sanfte, achtsame Formen der körperlichen Beanspruchung wie Dehnung, Mobilisation und Körperarbeit. Sie entfalten ihre Wirkung auf mehreren Ebenen: muskulär, faszial, neurologisch und emotional.

Gesundheitsfördernde Effekte regelmäßiger Bewegung

- Fördert die Durchblutung und Sauerstoffversorgung
- Löst Muskelverspannungen und Verklebungen im Bindegewebe
- Reguliert den Blutdruck und Blutzucker
- Stärkt das Immunsystem
- Reduziert Stresshormone (Cortisol, Adrenalin)
- Verbessert Schlaf, Stimmung und Konzentrationsfähigkeit

Sanfte Bewegungsformen für den Alltag

1. Dehnübungen / Mobilisation der Faszien

- Langsames, achtsames Dehnen der Hauptmuskelgruppen
- Ziel: Erhalt der Beweglichkeit, Lockerung von Verspannungen, Bindegewebspflege
- Beispiel: 5–10 Minuten Morgendehnung (Nacken, Schultern, Rücken, Beine)

2. Qi Gong / Tai Chi

- Jahrtausendealte Bewegungskünste mit meditativer Komponente
- Förderung von Körperwahrnehmung, Atemfluss und innerem Gleichgewicht
- Nachgewiesene Effekte auf Blutzucker, Stressreduktion und Gleichgewichtssinn

3. Yoga (sanfte Formen wie Hatha, Yin oder Restorative Yoga)

- Kombination aus Dehnung, Atmung und Meditation

- Kräftigung der Tiefenmuskulatur, Verbesserung der Haltung und Flexibilität

4. Feldenkrais / Alexander-Technik / „Somatic Movement"

- Schulung der Körperwahrnehmung und Bewegungsökonomie
- Besonders hilfreich bei chronischen Beschwerden und Bewegungseinschränkungen

---

Bewegung in den Alltag integrieren

- Bewegungspausen im Sitzen: Schulterkreisen, Fußwippen, bewusste Atemzüge
- Treppen statt Aufzug, Fahrrad statt Auto, entferntes Parken
- Barfußgehen auf Naturboden zur Stimulation der Fußmuskulatur
- Dehnrituale am Morgen und Abend als körperlich-mentales Reset

---

Körperarbeit – Berührung, Präsenz und Regulation

- Selbstmassage: Mit Ball oder Händen verspannte Zonen lockern
- Partnerübungen: Geführtes Dehnen, Halt geben, bewusstes Spüren
- Berührungsqualität: Langsam, warm, gegenwärtig – aktiviert das „Beruhigungsnervensystem" (parasympathisch)

Fazit

Sanfte Bewegung bringt das vegetative Nervensystem ins Gleichgewicht, löst Spannungen und stärkt die Verbindung zum eigenen Körper. Regelmäßige, achtsame Bewegungsimpulse – bewusst dosiert und freudvoll gestaltet – sind der Schlüssel zu langfristigem Wohlbefinden. Dieser Hinweis gilt auch Leistungssportlern.

Literatur zum Nachlesen und Vertiefen:

- Berridge, M. J. (2014). Calcium signalling and psychiatric disease: bipolar disorder and schizophrenia. Cell Tissue Research, 357(2), 477–492.
- Wayne, P. M., & Kaptchuk, T. J. (2008). Challenges inherent to T'ai Chi research: part I–T'ai Chi as a complex multicomponent intervention. Journal of Alternative and Complementary Medicine, 14(1), 95–102.
- Schleip, R. (2015). Faszien – Gewebe des Lebens. Irisiana.

Einwurf: Aushängen und Mobilisieren über Kopf

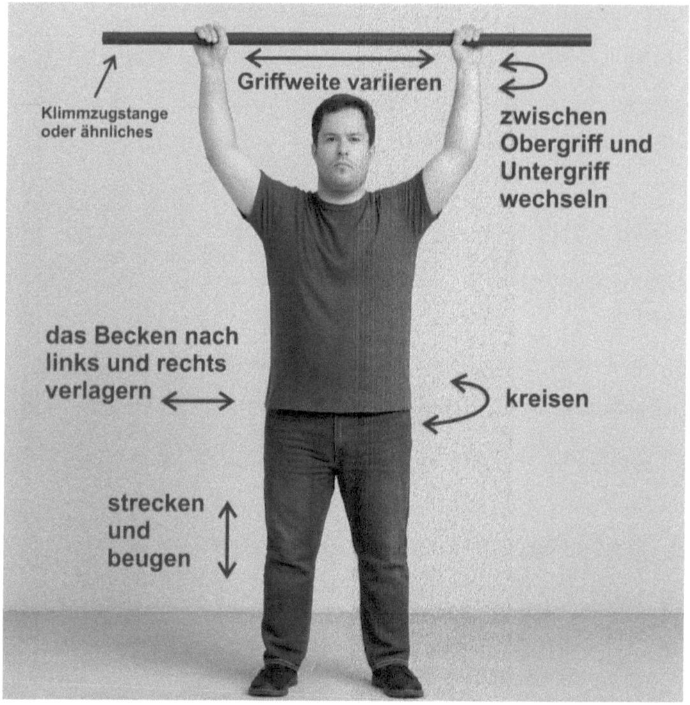

Wie der Hocksitz ist das „Aushängen und Mobilisieren über Kopf" eine wertvolle Komplementärübung, ganz gleich ob Sie Athlet oder Nichtsportler sind. Es geht darum, die Mobilität der Schultergelenke und des Schultergürtels sowie die Griffkraft zu stärken.

Ebenso wichtig ist es, die Wirbelsäule zu dekomprimieren, damit die Bandscheiben entlastet und per Druckausgleich hydriert werden. Das Letztere stellt einen Faktor für die langfristige Gesunderhaltung der Wirbelsäule dar.

Für mehr Beweglichkeit, Griff- und Zugkraft ist es nicht nötig, die volle Last des Körpergewichts zu tragen, aber eine dahingehende, allmähliche Steigerung ist wünschenswert. Falls keine Turn- oder Klimmzugstange vorhanden ist, tut es auch ein Türrahmen.

Führen Sie diese Übung mitsamt ihren Varianten mehrmals pro Woche für 5 bis 10 Minuten durch und nehmen Sie Ihre Fortschritte bewusst wahr. Diese eine Übung kann beweisen, dass Ihr Körper auf Training reagiert – egal wie alt Sie sind.

14. Stille, Meditation und mentale Gesundheit

Einleitung

In einer Welt voller Reize ist Stille ein seltenes Gut – und eine tiefe Ressource innerer Ordnung. Stille und Meditation sind keine Flucht, sondern ein Heimkommen. Sie fördern emotionale Resilienz, geistige Klarheit und seelisches Gleichgewicht. Forschung aus Psychologie, Neurowissenschaft und Medizin bestätigt, dass regelmäßige Meditationspraxis messbare Effekte auf Gehirnstruktur, Hormonregulation und Wohlbefinden hat.

Heilsame Dimensionen der Stille

- Stille senkt den Reizpegel und entlastet das Nervensystem
- Fördert Regeneration: Das Gehirn verarbeitet Reize im Ruhezustand – kreative Einsichten und emotionale Integration entstehen.
- Vertieft Selbstwahrnehmung: Gedanken, Gefühle und Körperempfindungen treten deutlicher hervor.
- Stärkt das Gefühl von Verbundenheit: mit sich selbst und der Umwelt

---

Wirkung von Meditation auf Körper und Geist

- Reduktion von Stresshormonen (Cortisol, Adrenalin)
- Verbesserung der Emotionsregulation (präfrontaler Cortex ↔ limbisches System)
- Förderung von Achtsamkeit, Geduld und Mitgefühl
- Veränderung der Gehirnstruktur: z. B. Vergrößerung der Hippocampus-Areale (Lernen, Gedächtnis)

Meditationsformen und mentale Übungen

1. Achtsamkeitsmeditation (MBSR – Mindfulness-Based Stress Reduction)

- Präsenz im Moment, Beobachtung ohne Bewertung
- Fokussiert auf Atmung, Körperempfindungen, Geräusche

2. Metta-Meditation (Liebende Güte)

- Kultiviert Mitgefühl gegenüber sich selbst und anderen
- „Möge ich glücklich sein. Mögest du sicher sein …“

3. Konzentrationsmeditation

- Fokussierung auf ein Objekt, ein Mantra, eine Kerzenflamme
- Schulung von Geistesruhe und innerer Zentrierung

4. Gehmeditation

- Langsames Gehen, synchronisiert mit der Atmung
- Ideal für Naturverbindung und Erdung

5. Atemmeditation

- Zählen, Vertiefung oder Beobachtung der Atmung

Alltagstaugliche Praxis

- Morgens 5–10 Minuten sitzen: ohne Handy, einfach beobachten
- Stille Zonen schaffen: Handy aus, keine Musik …
- Bewusste Atempausen über den Tag verteilen
- Meditative Tätigkeiten: Gärtnern, Malen, Schreiben, achtsames Essen

---

Mentale Hygiene

- Gedanken beobachten lernen, statt sich mit ihnen auseinanderzusetzen
- Dankbarkeitstagebuch führen: schützt vor Grübeln und Negativität
- Digitale Entgiftung: Zeiten ohne Bildschirmreize fördern geistige Klarheit

---

Fazit

Stille ist kein Luxus, sondern Notwendigkeit. Meditation ist kein esoterischer Rückzug, sondern eine wissenschaftlich belegte Methode der mentalen Selbstfürsorge. Wer regelmäßig innehält, schafft Raum für inneren Frieden und Gesundheit.

Literatur zum Nachlesen und Vertiefen:

- Davidson, R. J., & Lutz, A. (2008). Buddha's brain: Neuroplasticity and meditation. IEEE Signal Processing Magazine, 25(1), 176–174.
- Kabat-Zinn, J. (2013). Gesund durch Meditation: Das große Buch der Selbstheilung mit MBSR. Arbor Verlag.
- Tang, Y. Y., Hölzel, B. K., & Posner, M. I. (2015). The neuroscience of mindfulness meditation. Nature Reviews Neuroscience, 16(4), 213–225.

15. Gemeinschaft und soziale Gesundheit

Einleitung

Wir Menschen sind soziale Wesen. Bindung und zwischenmenschlicher Austausch gehören zu den tiefsten Quellen von Sicherheit und Lebensqualität. Mehr noch: Soziale Verbundenheit wirkt stärker gesundheitsfördernd als Nichtrauchen oder Sport. Umgekehrt erhöht Einsamkeit das Risiko für chronische Erkrankungen, Depression und Demenz. Deshalb ist soziale Gesundheit kein „Soft Skill", sondern eine zentrale Säule des Wohlbefindens und der Heilung.

Durch welche Mechanismen tragen soziale Bindungen zur Gesundheit bei?

- Das Gehirn-Hormon Oxytocin schafft Nähe und Vertrauen, es wirkt stressmindernd, blutdrucksenkend, entzündungshemmend.
- Spiegelneuronen sind Gehirnzellen, die bei eigener Handlung und deren Beobachtung aktiv werden – sie fördern Nachahmung, Handlungsverständnis, Mitgefühl und Verbundenheit.
- Zu Reden strukturiert das Denken – das Aussprechen innerer Zustände wirkt auch entlastend.
- Soziale Eingebundenheit schützt vor Isolation, Angst und Selbstverlust.

Wie zeigt sich ein wertvolles, vielleicht sogar heilendes Gespräch?

1. Aktives Zuhören

- Keine Unterbrechungen – es zählt Präsenz, es geht nicht um Ratschläge.
- Das Signal „Ich bin bei dir" hat mehr Wirkung als jedes Argument.

2. Beruht auf Echtheit und Verletzlichkeit

- Wer sich zeigt, fördert Tiefe.
- Offenheit erzeugt Offenheit – und Vertrauen.

3. Findet in Resonanzräumen statt

- Gespräche ohne Ablenkung, in Ruhe, mit echtem Interesse

4. Lässt Schweigen zu

- Um Gedanken auszuweiten, zu verdichten und zu integrieren
- Momente der Stille können tiefere Verbindungen schaffen als Worte.

Formen unterstützender Gemeinschaft

- Freundeskreise und Familienrituale: regelmäßige Begegnungen in Abständen, die allen guttun, die bewusst gepflegt werden
- Gemeinschaftliches Tun: Gärtnern, Kochen, Singen, Musizieren – all dies stärkt Zugehörigkeit und Verbundenheit
- Therapeutische Gruppenangebote: z. B. in Kliniken, Bildungsstätten oder online – sie geben individuelle (ergänzende) Unterstützung

---

Digitale Nähe – sinnvoll gestalten

- Videotelefonie, Sprachnachrichten, Online-Gruppen – sinnvoll bei Distanz
- Gefahr: Quantität statt Qualität → Es hilft Fokus auf Tiefe statt auf Dauer.
- Achtsamer Medienumgang schützt vor sozialer Überreizung.

Fazit

Beziehungen nähren uns körperlich, seelisch und sozial. Sie schenken uns Sinn und Orientierung, durch Resonanz festigen sie unsere Identität. Es lohnt sich, sie zu pflegen: durch gemeinsame Zeit und Geduld, Nähe, Vertrauen, Aufmerksamkeit, Verständnis, Offenheit und Ehrlichkeit.

Literatur zum Nachlesen und Vertiefen:

- Cacioppo, J. T., & Patrick, W. (2008). Loneliness: Human Nature and the Need for Social Connection. W. W. Norton & Company.
- Bauer, J. (2014). Warum ich fühle, was du fühlst: Intuitive Kommunikation und das Geheimnis der Spiegelneurone. Heyne.
- Waldinger, R., & Schulz, M. (2023). The Good Life: Lessons From the World's Longest Scientific Study of Happiness. Simon & Schuster.

16. Schadstoffe: vermeiden und entgiften

Einleitung

In unserer modernen Welt können wir den Kontakt etwa mit Schwermetallen, unerwünschten Chemikalien und Mikroplastik nicht mehr vollständig vermeiden. Doch es gibt Möglichkeiten, diesen zu minimieren und vor allem: dem Körper dabei zu helfen, sie wieder auszuscheiden. Eine effektive Entgiftung kann nicht nur kurzfristig mit den Maßnahmen medizinischer Fachleute, die in der Regel auf einzelne oder wenige Schadstoffe abzielen, sondern auch in (präventiver) Eigenregie geschehen. Ziel dessen ist nicht nur „Reinigung“ im mechanischen Sinn, sondern es geht auch um Regeneration, Entlastung und Stoffwechselaktivierung.

Physiologische Grundlagen der Entgiftung

- Lymphe: überführt Substanzen aus dem Gewebe zwischen den Zellen in den Blutkreislauf, was Kontakt zur Leber herstellt
- Leber: zentrales Entgiftungsorgan, wandelt fettlösliche Gifte in wasserlösliche um
- Niere: scheidet wasserlösliche Stoffwechselprodukte über den Urin aus
- Darm: bindet Gifte über Gallensaft und das Darm-Mikrobiom
- Haut: scheidet wasserlösliche Stoffe über den Schweiß aus
- Ein gut mit Wasser versorgter Körper hat es leichter, sich zu entgiften.

Schwitzen – therapeutischer Nutzen

- Infrarotkabinen/Sauna/Dampfbad fördern die Durchblutung, senken Stress, aktivieren das Immunsystem
- Studien zeigen: regelmäßiges Saunieren reduziert Herz-Kreislauf-Risiken, depressive Symptome und Infektanfälligkeit
- Starke Hinweise, dass die Ausleitung von Giften über den Schweiß zu diesen Effekten beiträgt

Hinweise zur Anwendung

- Trinken vor und nach dem Schwitzen (Wasser, basische Tees)
- Keine Sauna bei Herz-Kreislauf-Erkrankung, akuten Infekten, Fieber
- Nachruhe, Wärmeschutz und Trockenbürstung ergänzen die Wirkung

Naturheilkundliche Ausleitungsverfahren

1. Basenbäder (siehe auch Seite 19)

- Sie neutralisieren Säureüberschuss über die Haut.
- Ideal: 1–2 Mal pro Woche, 30–40 Minuten bei 37–38 °C

2. Ölziehen

- Morgendliches Mundspülen mit Sesam- oder Kokosöl (10–15 Minuten)
- Bindet fettlösliche Toxine im Mundraum

3. Leberwickel

- Wärmflasche auf das rechte Oberbauchareal
- Unterstützt Leberdurchblutung, Entspannung, Gallenausscheidung

4. Bitterstoffe

- Fördern Leber- und Gallenfunktion (z. B. Löwenzahn, Enzian, Artischocke)

Pflanzliche Unterstützungsmittel

- Mariendistel (Silybum marianum): Leberzellschutz, Antioxidans
- Brennnessel (Urtica dioica): entwässernd, mineralstoffreich
- Birkenblätter, Goldrute: die Nierenfunktion fördernd
- Flohsamenschalen, Bentonit: Binden Toxine im Darm

Beispiel: Entgiftung mit der Unterstützung eines mineralischen Nährstoffs

- Aluminium ist ein Gift: Es kann Nervenzellen schädigen, Enzyme und Zellprozesse beeinträchtigen.
- Silizium kann Aluminium binden und dessen Ausscheidung über den Urin messbar erhöhen.
- Eine Ernährung mit siliziumreichem Mineralwasser, Brennnessel- und Ackerschachtelhalm-Tee kann den Körper reichlich mit Silizium versorgen.

Weitere Mineralien mit ähnlicher Potenz wie Silizium sind Selen, Zink und Schwefel. Sie zielen beispielsweise auf Cadmium, Blei, Arsen und Quecksilber ab. Sie verhindern bereits deren Aufnahme im Darm, sorgen für die Freisetzung aus körperlichen Geweben, binden sie, was für Transportfähigkeit sorgt, und stärken die körperlichen Systeme, die bei der Entgiftung helfen.

Grenzen und Hinweise

- Es sollten keine pauschalen Entgiftungskuren durchgeführt werden. Zu bevorzugen ist eine individuelle Abstimmung mit vorherigen Labortests.
- Vorerkrankungen, Medikamente und Ernährung sind zu berücksichtigen
- „Detox"-Produkte sind kritisch prüfen – nicht alle Versprechen sind wissenschaftlich fundiert.

Fazit

Was durch eine bewusste Lebensführung gar nicht erst in den Körper gelangt, muss auch nicht entgiftet werden. In diesem Sinne sind etwa die Verwendung von Kosmetik, der Verzehr von Fisch und der Gebrauch von Reinigungsmitteln starke Möglichkeiten, selbst über die Belastung mit unerwünschten Stoffen zu entscheiden. Allerdings ist es kaum möglich, jeglichen Kontakt zu vermeiden. Umso wichtiger ist es, die körpereigenen Mechanismen der Entgiftung zu unterstützen. Dies gelingt durch gezieltes Schwitzen, bewährte Hausmittel, eine nährstoffreiche Ernährung und eine gute Versorgung mit Trinkwasser. Häusliche Entgiftung ist keine radikale Intervention, sondern ein milder Prozess, der auf Dauer Vorteile liefert.

Literatur zum Nachlesen und Vertiefen:

- Eliaz, I. (2014). Detoxification & Healing: The Key Role of the Gut. Alternative Therapies in Health and Medicine.
- Bradstreet, J. J., Smith, S., & Baral, M. (2016). Heavy Metal Toxicity and Environmental Exposures: The Hidden Epidemic. International Journal of Environmental Health Research.
- Schwartz, J. (2015). The Benefits of Organic Food in Reducing Chemical Exposures. Environmental Nutrition.
- Taylor, J. (2019). Cosmetics and Toxicology: The Need for Chemical-Free Personal Care. Journal of Dermatological Science.
- Van Dyke, M. (2016). The Role of General Practitioners and Environmental Medicine in Detoxification Protocols. Medical Journal of Environmental Health.
- Rahman, M. M., et al. (2019). Selenium and zinc protections against metal(loid)s-induced toxicity and disease manifestations: A review. Ecotoxicology and Environmental Safety, 168, 146–163.
- Mitchell, J., et al. (2013). Chelation: Harnessing and enhancing heavy metal detoxification — A review. International Journal of Environmental Research and Public Health, 10(6), 2745–2786.

17. Rituale, Routinen und Heilräume im Alltag

Einleitung

In einer Zeit oft permanenter Verfügbarkeit, digitaler Reizflut und wachsender Beschleunigung verlieren viele Menschen das Gespür für inneren und äußeren Rhythmus. Dabei sind es gerade sich wiederholende Routinen, die dem Leben Halt, Orientierung und Tiefe geben. Sie strukturieren den Tag, schaffen Raum für Regeneration und Bewusstheit – die ein Fundament der Gesundheit sind. Besonders (aber nicht nur) Haushalte mit Kindern profitieren davon.

Die Kraft der Rituale

- Rituale beruhigen das Nervensystem durch Wiederholung und Vorhersehbarkeit.
- Sie vermitteln Sinn, Identität und Zugehörigkeit.
- Sie strukturieren Übergänge: vom Schlaf zum Tag, vom Alltag ins Wochenende, vom Kind zur Mutter etc.
- Auch kleine Alltagsrituale (Teekochen, Kerze anzünden, Dankbarkeitsnotiz) haben große Wirkung.

Rituale bieten die Chance, den Alltag mit weniger Stressempfinden zu meistern. Dies bewahrt körperliche und mentale Reserven.

Alltag als Heilraum gestalten

1. Morgenrituale

- Bewusster Einstieg statt Handy-Check: zum Beispiel Wasser trinken, Dehnen, 3 Minuten Atemruhe
- Visualisierung: „Was soll sich heute entwickeln?"
- Kleine Wiederholungen (gleicher Tee, gleiche Musik, Lichtquelle) schaffen emotionale Verankerung.

2. Essensrituale

- Tisch decken, Kerze entzünden, bewusstes Kauen
- Ein Moment der Dankbarkeit vor dem ersten Bissen
- Keine Ablenkung durch Bildschirm oder Hektik – es geht um das Essen selbst

3. Abendrituale

- Rituale zur Entschleunigung: z. B. Tagebuch schreiben, warmes Fußbad, Licht dimmen
- Rückschau in Dankbarkeit und Loslösung von Erledigtem
- Symbolische Handlungen: Fenster öffnen, Pflanze gießen, Kerze löschen

---

Rhythmus statt Reaktion

- Der Körper liebt Rhythmus: Schlaf, Mahlzeiten, Bewegung, Ruhephasen …
- Rhythmen entlasten den Willen – man muss nicht täglich neu entscheiden.
- Wer dem Tag eine Form gibt, formt auch sich selbst.

Heilräume schaffen

- Materiell: Eine Ecke für Meditation, Lesesessel, Bad als Rückzugsort
- Zeitlich: „Offline-Zeit", Handy-freie Zonen, stille Vormittage
- Beziehungsbezogen: Gesprächsrituale mit Partner*in, Kind oder Freundeskreis
- Spirituell: tägliche Einkehr, Danksagung, Naturkontakt

Fazit

Rituale sind nicht altmodisch – sie sind zeitlos. In ihnen steckt das Wissen um Balance, Wiederkehr und Verankerung. Wer Rituale und Rhythmen pflegt, heilt sich selbst ein Stück weit jeden Tag. Sie machen das Leben nicht starr, sondern verleihen ihm Tiefe. Sie geben dem Alltäglichen Bedeutung.

Literatur zum Nachlesen und Vertiefen:

- Heller, M. (2012). Rituale – Wie wir durch Wiederholung Sicherheit finden. Kösel Verlag.
- van der Kolk, B. A. (2015). The Body Keeps the Score: Brain, Mind, and Body in the Healing of Trauma. Penguin.
- Schiepek, G. (2015). Selbstorganisation – Die Dynamik des menschlichen Erlebens und Verhaltens. Springer.

18. Vagusnerv und autonomes Gleichgewicht

Einleitung

Das autonome Nervensystem steuert unbewusst lebenswichtige Körperfunktionen wie Herzschlag, Atmung und Verdauung. Es besteht aus zwei Hauptzweigen: dem Sympathikus („Kampf oder Flucht") und dem Parasympathikus („Ruhe und Verdauung"). Eine gesunde Balance zwischen beiden Systemen ist grundlegend für Wohlbefinden und Regeneration.

In modernen Lebensverhältnissen dominieren oft Stress, Reizüberflutung, Bewegungsmangel und Schlafdefizit – mit der Folge einer chronischen Überaktivierung des Sympathikus. Dies kann sich in Bluthochdruck, Schlafstörungen, Verdauungsbeschwerden, Ängsten oder Erschöpfung äußern. Eine gezielte Stärkung der parasympathischen Aktivität, insbesondere über den Vagusnerv, kann diesen Kreislauf durchbrechen.

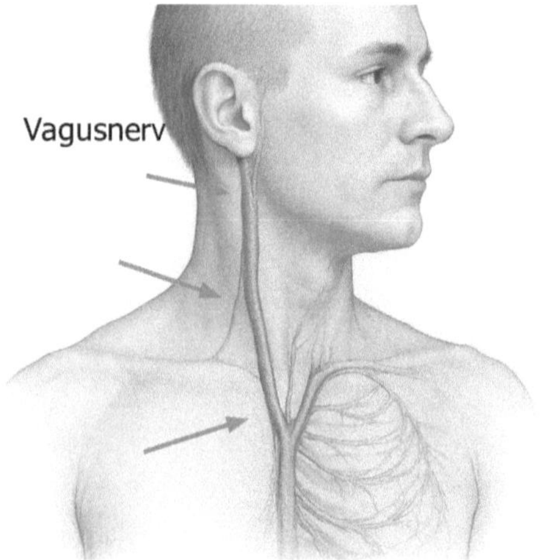

Der Vagusnerv – Anatomie & Wirkung

Der Vagusnerv (Nervus vagus) ist der zehnte Hirnnerv und der zentrale Vermittler parasympathischer Impulse. Er verläuft vom Hirnstamm über Hals und Brustraum bis in den Bauch – in direkter Verbindung zu Herz, Lunge, Magen, Leber, Darm. Er beeinflusst Herzfrequenz, Blutdruck, Verdauung, Immunsystem, Hormone, Emotionen. Eine hohe Vagus-Aktivität verbessert die Stressresistenz, senkt Entzündungen, beruhigt das Herz und fördert die soziale Verbundenheit.

Was, wenn der Vagusnerv aus dem Gleichgewicht gerät?

Eine verminderte Vagus-Funktion kann entstehen durch:

- Chronischen Stress und dauerhaft erhöhte Sympathikus-Aktivität
- Verspannungen oder Fehlstellungen der Halswirbelsäule (Atlas, Axis)
- Dysbiose des Darms – über den engen Darm-Hirn-Nerven-Zusammenhang
- Mangelernährung, insbesondere an Omega-3-Fettsäuren, B-Vitaminen, Antioxidantien

- Schlafmangel oder unregelmäßige Schlafzeiten
- Flache Atmung – häufig unbewusst bei Stress
- Chronische Entzündungen, z. B. durch stille Entzündungsherde

Aber: Auch Überstimulation ist möglich!
Ein dauerhaft überaktiver Vagusnerv kann zu niedriger Herzfrequenz, Abfallen des Blutdrucks, Antriebslosigkeit, Frieren, Schwindel oder sogar Ohnmacht führen. In solchen Fällen ist eine medizinische Abklärung nötig. Die Aktivierung des Vagusnervs sollte also maßvoll, achtsam und individuell angepasst erfolgen.

Möglichkeiten zur Stimulierung des Vagusnervs

1. Atemtechniken

- Tiefes Bauchatmen (z. B. 4-7-8-Technik) aktiviert den Parasympathikus
- Wechselatmung (Nadi Shodhana) balanciert die vegetative Steuerung

2. Körperliche Reize

- Kalte Duschen oder Gesichtskühlung stimulieren reflektorisch den Vagus
- Nacken- und Bauchmassagen, Gurgeln oder Summen – über die Verbindung zu Rachen und Kehlkopfnerven
- Singen, Tönen, Atemübungen mit Vibrationseffekt

3. Ernährung

- Omega-3-Fette (z. B. in Leinöl, Fisch) unterstützen die Nervenfunktion
- Fermentierte Lebensmittel fördern die Darm-Hirn-Achse
- Antioxidantien-reiche Kost reduziert entzündliche Prozesse

4. Lebensstilmaßnahmen

- Moderate Bewegung wie Gehen, Yoga, Schwimmen
- Guter Schlaf, geregelter Rhythmus
- Positive soziale Kontakte, Lachen, Nähe

5. Therapeutische Ansätze

- Vagusnerv-Stimulation (VNS) bei Depression oder Epilepsie (medizinisch)
- Osteopathie, Craniosacrale Therapie, Chiropraktik zur Entlastung der Nervenbahnen
- Achtsamkeitsmeditation, Yoga Nidra

Ein Ratschlag zu Geräten, die den Vagusnerv stimulieren:
Diese Geräte können prinzipiell funktionieren, meist stimulieren sie Bereiche am Ohr oder Hals mit Hilfe von Elektroden. Im Einzelfall sollte auf den Erwerb bei einem Hersteller/Verkäufer geachtet werden, der seine Preispolitik gut begründet, genaue Angaben zur Sicherheit und Anwendung macht sowie bei Nichtgefallen die Rücknahme des Geräts akzeptiert.
Wichtig ist die Einsicht, dass ein Überstimulation denkbar ist, zumal: Warum scheint die Funktion des Vagusnervs überhaupt unterdrückt oder nicht ausreichend zu sein? Es lohnt sich, in Zusammenarbeit mit einem Arzt einen ganzheitlichen Blick zu wagen. Sind Hals- und Brustwirbelsäule korrekt ausgerichtet, ist die Lebensweise oder sind soziale Beziehungen erkennbar in Schieflage, gibt es Quellen chronischer Entzündung?
Wer von einer gerätebasierten Stimulation des Vagusnervs profitiert, erachtet es vielleicht als besonders aussichtsreich, die anderen oben genannten Optionen zu nutzen. Dies kann wertvoll sein, weil etwa sich mehr zu bewegen, besser zu ernähren oder auf mehr gesunden Schlaf zu achten, komplexe Vorteile verspricht, die über einen Einfluss auf den Vagusnerv hinausgehen.

Fazit
Der Vagusnerv ist ein Schlüssel zur inneren Regulation. Seine Aktivierung unterstützt Heilung auf physischer, psychischer und sozialer Ebene – er hilft uns, zur Ruhe zu kommen, zu verdauen, zu regenerieren. In einer reizüberfluteten Welt braucht es bewusste Räume und Rituale zur Stärkung dieser vegetativen Kraft.

Literatur zum Nachlesen und Vertiefen:

- Breit, S., Kupferberg, A., Rogler, G., & Hasler, G. (2018). Vagus nerve as modulator of the brain–gut axis in psychiatric and inflammatory disorders. Frontiers in Psychiatry, 9, 44.
- Tracey, K. J. (2002). The inflammatory reflex. Nature, 420, 853–859.
- Gidron, Y., et al. (2018). The Vagus Nerve Can Predict and Possibly Modulate Non-Communicable Chronic Diseases: Introducing a Neuroimmunological Paradigm to Public Health. Journal of Clinical Medicine, 7(10), 371.
- Garcia, R. G., et al. (2017). Clinical applications of vagus nerve stimulation for treatment-resistant depression. Neurotherapeutics, 14(3), 716–727.
- Laborde, S., Mosley, E., & Thayer, J. F. (2017). Heart Rate Variability and Cardiac Vagal Tone in Psychophysiological Research – Recommendations for Experiment Planning, Data Analysis, and Data Reporting. Frontiers in Psychology, 8, 213.

19. Grounding: leitender Kontakt mit der Erde

Einleitung

Grounding (auch: Earthing) bezeichnet den direkten Kontakt des Körpers mit der Erdoberfläche oder geerdeten Materialien. Der Gedanke dahinter: Die Erde ist eine natürliche Quelle freier Elektronen, die beim Hautkontakt in den Körper übergehen und dort antioxidativ, entzündungshemmend und stressreduzierend wirken können. In vielen Kulturen galt der unmittelbare Kontakt zur Erde als Quelle von Kraft und Heilung. Heute wird Grounding als sanfte Selbsthilfemethode wiederentdeckt.

Potenzielle gesundheitliche Vorteile

Studien und Erfahrungsberichte deuten auf folgende Effekte hin:

- Schmerzlinderung, insbesondere bei chronischen Entzündungen und Muskelverspannungen
- Verbesserung des Schlafs, Stabilisierung des zirkadianen Rhythmus
- Stressabbau und Förderung innerer Ruhe
- Schnellere Wundheilung und Regeneration nach Belastungen

Diese Effekte werden auf den Einfluss freier Elektronen auf oxidativen Stress und das vegetative Nervensystem zurückgeführt.

Grounding in der Praxis

Natürliche Formen im Freien

- Barfußlaufen auf Gras, Erde, Sand oder Stein – 20 bis 30 Minuten täglich
- Sitzen oder Liegen auf natürlichem Untergrund, z. B. im Garten oder Park
- Kontakt mit Wasserflächen, z. B. Waten im See oder am Strand

Technische Hilfsmittel für den Innenbereich

- Erdungsmatten, -decken oder -kissen: Sie verbinden den Körper über die Erdungsleitung einer Steckdose mit dem Erdpotential.
- Erdungssocken und -schuhe mit leitfähigen Materialien
- Erdungsmanschetten für Hand- oder Fußgelenke

Wichtig: Die Steckdose muss korrekt geerdet sein. Kontakt mit stromführenden Geräten (gilt auch für optional akkubetriebene Geräte wie Tablet, Smartphone) sollte während des Groundings vermieden werden.

Aufwand und Nutzen

Minimalistischer Ansatz
Barfußgehen im Freien ist kostenlos, risikoarm und leicht umsetzbar – selbst kurze tägliche Rituale können Stress und Muskelspannung spürbar senken.

Erdungsprodukte für Innenräume
Diese sind kostenintensiver, aber für viele Menschen praktikabel, z. B. im Schlaf, beim Arbeiten oder Entspannen. Sie ermöglichen Grounding unabhängig vom Wetter oder vom Zugang zur Natur.

Vergleich und Kompatibilität mit anderen Methoden
Grounding ist nicht invasiv, ohne bekannte Nebenwirkungen, es lässt sich problemlos mit anderen heilkundlichen Verfahren kombinieren.

Tipps zur weiteren Annäherung ans Grounding:

▪ Wer noch zögert, aber grundsätzlich dazu bereit ist, etwaige offene Fragen durch eigene Recherche zu beantworten, liest die erste der unten in der Literaturliste zitierten Arbeiten (Menigoz et al.). Hier einige der Highlights, übersetzt ins Deutsche: *„Reduziert Entzündungen, Schmerzen und Stress; verbessert den Blutfluss, den Schlaf und die Vitalität“, „Erdung ist eine einfache, tiefgründige Ergänzung, die keine Anstrengung oder Diät erfordert“, „Erdung ist ein in grober Weise übersehener Faktor bei Gesundheit und Heilung“, „Erdung sollte Patienten von Gesundheitsfachkräften empfohlen werden“*. Es ist nicht leicht, den Nachdruck dieser Aussagen zu übertreffen.

▪ Wer schon bereit für einen Test ist, könnte wie folgt vorgehen:
Bei großen Online-Händlern die Suchworte „Set Kissenbezug Erdung“ eingeben, dann anhand zahlreicher positiver Bewertungen ein Erdungs-Set bestehend aus einem mit eingesponnenen Silberfäden leitend gemachten •Kissenbezug, einem für eine häusliche Steckdose mit Erdungskontakt vorgesehenen •Erdungsstecker und einem •Verbindungskabel bestellen.
Beim Ruhen tagsüber oder auch nachts kann der Kopf oder, falls aus Gründen genereller Vorsicht noch gefühlt Abstand gehalten werden soll, können zunächst die nackten Unterschenkel auf dem Kissen(-bezug) abgelegt werden.
Voraussichtlich stellt sich binnen 15–30 Minuten ein Zustand der inneren Ruhe und Erholung ein, der auch an einer reduzierten Herz- und Atemfrequenz festzumachen sein dürfte. Wichtig: Alle im Schlafzimmer bzw. in der näheren Schlafumgebung befindlichen elektrischen Geräte sollten während des Erdens vom Netz getrennt und bevorzugt ausgeschaltet werden. Es ist zu erwarten, dass der Schlaf sich ab der ersten Nacht als verblüffend erholsam erweist.

Fazit

Grounding bzw. Earthing (Erdung) ist eine einfache wie verblüffende Methode zur Rückverbindung mit der natürlichen Umgebung – mit potenziell weitreichenden gesundheitlichen Effekten. Auch wenn die Studienlage noch begrenzt ist, sprechen viele Erfahrungen für positive Wirkungen im Besonderen auf Schlaf, Schmerzempfinden, Stresstoleranz und psychisches Wohlbefinden. Ob barfuß im Garten, mit einer Erdungsmatte am Arbeitsplatz oder mit Hilfe eines „Erdungskissen-Bezugs" – Grounding lässt sich alltagstauglich und unkompliziert umsetzen. Das Gesamtbild aller Hinweise deutet darauf hin, dass Grounding eine der leistungsfähigsten und zugleich preiswertesten Maßnahmen ist, mit denen sich die allgemeine körperlich-psychische Belastbarkeit und Gesundheit unterstützen lässt. **Beginnen Sie mit Grounding, diese ausdrückliche und einschränkungslose Empfehlung ist die stärkste, die in diesem Buch vorgetragen wird.**

Literatur zum Nachlesen und Vertiefen:

- Menigoz, Wendy, et al. "Integrative and lifestyle medicine strategies should include Earthing (grounding): Review of research evidence and clinical observations." Explore 16.3 (2020): 152-160.
- Oschman, J. L. (2007). Energy Medicine: The Scientific Basis. Elsevier Health Sciences.
- Chevalier, G., Sinatra, S. T., Oschman, J. L., Sokal, K., & Sokal, P. (2012). "Earthing (Grounding) the Human Body Reduces Blood Viscosity—a Major Factor in Cardiovascular Disease". Journal of Alternative and Complementary Medicine, 18(1), 83-88.
- Ober, C. L., Sinatra, S. T., & Zucker, M. (2010). Earthing: The Most Important Health Discovery Ever? Basic Health Publications, Inc.
- Ghaly, M., & Teplitz, D. (2004). "The biologic effects of grounding the human body during sleep as measured by cortisol levels and subjective reporting of sleep, pain, and stress." Journal of Alternative and Complementary Medicine, 10(5), 767-776.

20. Dankbarkeit, Spiritualität und Sinn

Einleitung

Gesundheit ist mehr als die Abwesenheit von Krankheit. Ihre Wurzeln finden sich tief im Erleben von Bedeutung, Zugehörigkeit und innerem Frieden. Dankbarkeit, Spiritualität und Sinn sind nicht bloße Äußerungsformen, sondern tragende Pfeiler seelisch-mentaler Widerstandskraft. Diese Stärke überträgt sich auf das Körperliche. Zahlreiche Studien belegen: Menschen mit spirituellem Bezug, sinnerfüllter Lebensgestaltung und gelebter Dankbarkeit leben länger, gesünder und zufriedener.

Dankbarkeit als tägliche Praxis

- Dankbarkeit aktiviert positive Emotionen, fördert Zufriedenheit und senkt Stresshormone.
- Sie verstärkt zwischenmenschliche Bindungen und das Gefühl der Fülle statt des Mangels.
- Sie hilft bei der Verarbeitung von Verlust, Krankheit oder Krise.

Impulse für den Alltag:

- Morgens oder abends drei Dinge notieren, für die man dankbar ist
- „Danke" sagen – bewusst und ehrlich
- Dankbarkeit als Haltung kultivieren: nicht, „weil alles gut ist", sondern, „weil ich alles sehe"

Spiritualität – jenseits von Religion

- Spiritualität meint eine verbundene Haltung zum Leben.
- Fragen nach dem Woher, Wohin und Wozu geben Orientierung in Krisen.
- Formen gelebter Spiritualität sind: Naturerfahrung, Meditation, Gebet, Stille, Musik, kreative Tätigkeit.
- Transzendenzerfahrungen können innere Grenzen sprengen und Selbstheilungskräfte wecken.

Sinn und Zugehörigkeit

- Sinn ist ein innerer Kompass – er verleiht dem Leben Richtung und Tiefe.
- Sinnhaftigkeit stärkt das Immunsystem, lindert Schmerz und Stress.
- Viktor Frankl: „Wer ein Warum zum Leben hat, erträgt fast jedes Wie.".

- Sinnquellen sind: Familie, Fürsorge, Engagement, Kreativität, Glauben, Dienst an anderen.

Spirituelle Hausmittel

- Kerze entzünden: Licht als Symbol für Hoffnung, Gedenken, Einkehr
- Altare oder Erinnerungsorte: mit Fotos, Naturmaterialien, Symbolen
- Segensrituale: sich selbst oder anderen bewusst Gutes wünschen
- Naturgänge in Stille – als Verbindung von Innen- und Außenwelt

---

Fazit

Dankbarkeit öffnet das Herz, Spiritualität öffnet den Raum, Sinn öffnet den Weg. Wer diese Dimensionen bewusst lebt, stärkt sein Fundament – nicht nur für Krisenzeiten. Heilung ist mehr als biochemische Wiederherstellung: Sie geschieht dort, wo Tiefe, Vertrauen und Verbundenheit entstehen. In diesem Sinn schließt sich der Kreis.

Literatur zum Nachlesen und Vertiefen:

- Emmons, R. A., & McCullough, M. E. (2003). Counting blessings versus burdens: An experimental investigation of gratitude and subjective well-being in daily life. Journal of Personality and Social Psychology, 84(2), 377–389.
- Frankl, V. E. (2015). …trotzdem Ja zum Leben sagen: Ein Psychologe erlebt das Konzentrationslager. Kösel.
- Puchalski, C. M., et al. (2014). Improving the spiritual dimension of whole person care: Reaching national and international consensus. Journal of Palliative Medicine, 17(6), 642–656.

Anhang 1: 40 Fragen an Ihren Arzt

Auch die besten Absichten Ihres Arztes können im Sande verlaufen, wenn Sie als Patient/in nicht optimal mitarbeiten – aber auch umgekehrt. Ein Beispiel für das Letztere sind einschlägige Zahnbehandlungen. Diese können zu Entzündungen führen, durch die Ihre Bemühungen, sich etwa antientzündlich zu ernähren, möglicherweise ins Leere gehen.

Was ist mit Medikamenten, die den Stoffwechsel lebenswichtiger Nährstoffe beeinflussen? Ob durch schlechtere Aufnahme oder erhöhte Ausscheidung, dagegen kommen Sie, wenn überhaupt, am ehesten an, wenn Sie darum wissen.

Patienten dürfen und sollten nachfragen, ob bei ärztlichen Behandlungen das Gebot der Wirtschaftlichkeit und das Prinzip, dass nur wirklich notwendige Behandlungen durchgeführt werden, erfüllt sind. Diese und weitere Gedankengänge werden nachfolgend anhand von 40 kompakten Fragen und jeweils kurzer Erläuterung ihres Hintergrundes vorgestellt.

Der Sinn dessen besteht nicht zuletzt in einer klaren Signalgebung: Sie sind bereit für aktive Mitarbeit, Sie wollen als Patient zum Erhalt Ihrer Gesundheit beitragen.

1. Frage: „Wie sicher ist eine Wurzelkanalbehandlung, gibt es Hinweise darauf, dass tote Zähne im Körper chronischen Entzündungen oder andere systemische Belastungen verursachen?".

Hintergrund: Manche Zahnmediziner und ganzheitliche Mediziner warnen vor toten Zähnen als chronischen Entzündungsherden.

---

2. Frage: „Wie wird bei der Wurzelkanalbehandlung sichergestellt, dass keine Bakterien im Wurzelkanal verbleiben und chronische Entzündungen verursachen?".

Hintergrund: Wurzelkanäle lassen sich oft nicht vollständig sterilisieren. Toxine können chronisch ins Gewebe austreten.

---

3. Frage: „Gibt es Hinweise darauf, dass Titanimplantate eine stille Entzündung oder Unverträglichkeit auslösen könnten – welche Alternativen existieren?".

Hintergrund: Nicht alle Patienten vertragen jedes Fremdmaterial – der Einsatz von Keramik könnte in Frage kommen.

---

4. Frage: „Könnte es sein, dass Amalgamfüllungen Quecksilber freisetzen und gibt es sichere Methoden zur Entfernung?".

Hintergrund: Amalgam enthält toxisches Quecksilber – die Diskussion über Sicherheit und Entfernung ist kontrovers.

---

5. Frage: „Welche Rolle spielen Entzündungsmarker wie hs-CRP in der Beurteilung des Herz-Kreislauf-Risikos – und warum werden diese nicht mitgemessen?".

Hintergrund: Chronische Entzündung gilt als wichtiger Risikofaktor für Atherosklerose – unabhängig vom Cholesterinspiegel.

---

6. Frage: „Warum wird mir zu cholesterinarmer Ernährung geraten, obwohl Nahrungs-Cholesterin kaum Einfluss auf mein Blutcholesterin hat?".

Hintergrund: Der Großteil des Cholesterins wird endogen gebildet. Die Rolle der Ernährung wird oft falsch dargestellt.

---

7. Frage: „Ist es richtig, dass die Anwendung von Statinen depressive Symptome begünstigen kann?".

Hintergrund: Statine können das im Gehirn verfügbare freie Cholesterin senken und so den Stoffwechsel des Neurotransmitters Serotonin beeinträchtigen.

8. Frage: „Warum wird das Risiko von Statinen bei Frauen, älteren Menschen oder primärpräventiv (ohne Vorerkrankung) nicht differenzierter betrachtet?".

Hintergrund: Manche Studien zeigen, dass der Nutzen von Statinen in einzelnen Bevölkerungsgruppen gering oder nicht existent ist.

---

9. Frage: „Wie häufig treten Muskelbeschwerden, Gedächtnisprobleme oder Diabetes als Nebenwirkungen einer Statintherapie auf – und wie wird das in meiner Langzeitbetreuung überwacht?".

Hintergrund: Statin-Nebenwirkungen werden gelegentlich unterschätzt oder nicht mit dem Medikament in Verbindung gebracht.

---

10. Frage: „Könnte es sinnvoll sein, neben Cholesterin auch Apolipoprotein A (ApoA) und Apolipoprotein B (ApoB) in die Bewertung meiner Blutfette einfließen zu lassen?".

Hintergrund: Neuere Forschung legt ApoA und ApoB als vielleicht sogar vorrangige Messgrößen zur Vorhersage von Herz-Kreislauf-Ereignissen nahe.

---

11. Frage: „Könnte es bei meiner Diagnose einer „Fettleber" genügen, meine Ernährung umzustellen?".

Hintergrund: Eine Fettleber ist oft lebensstilbedingt, Fruchtzucker und Zucker zu meiden, könnte ein Ansatzpunkt sein.

---

12. Frage: „Gibt es präventive oder begleitende Maßnahmen, die die aufkeimende Demenz meiner Eltern bzw. Großeltern verlangsamen?".

Hintergrund: Antioxidative und entzündungshemmende Strategien könnten bei aufkeimender Demenz eine Unterstützung leisten.

---

13. Frage: „Könnten die Demenzsymptome bei meinen Eltern/Großeltern auch von Medikamenten, Belastung mit Aluminium oder Schwermetallen, Stress, Schlafmangel oder Vitaminmangel kommen – wurde das geprüft?".

Hintergrund: Demenzsymptome könnten andere als degenerative Ursachen haben.

---

14. Frage: „Stimmt es, dass die Zufuhr von gut resorbierbarem Silizium, etwa durch ausgewähltes Mineralwasser, Brennnessel- oder Zinnkrauttee, eine milde, auf lange Sicht zuverlässige Möglichkeit der Entgiftung von Aluminium bietet?".

Hintergrund: Rechtzeitige Beiträge zur Entgiftung können auf lange Sicht großen Nutzen liefern.

---

15. Frage: „Wurde bei der ADHS-Diagnose meines Kindes auch die Möglichkeit einer unzureichenden Ernährung, mangelnder Schlafhygiene, Eisenmangel, Trauma und zu viel Bildschirmzeit berücksichtigt?".

Hintergrund: Konzentrationsstörungen können viele Ursachen haben.

---

16. Frage: „Warum wird mein Tinnitus als 'nicht behandelbar' bezeichnet – ohne mögliche Probleme mit der Durchblutung, Nackenverspannungen oder Stressfaktoren zu analysieren?".

Hintergrund: Tinnitus könnte körperlich oder psychisch beeinflussbar sein.

---

17. Frage: „Warum wird mein „Burnout" als psychisch bedingt abgetan – ohne körperliche Ursachen wie Hormonmangel, Nährstoffdefizite oder Nebennierenprobleme zu prüfen?".

Hintergrund: Nicht nur Stress kann zu chronischer Erschöpfung führen.

---

18. Frage: „Wurde meine Unverträglichkeit gegenüber bestimmten Lebensmitteln als mögliche Histaminintoleranz erkannt – oder fälschlich als Allergie oder Reizdarmsyndrom eingestuft?".

Hintergrund: Histaminintoleranz ist oft unterdiagnostiziert und schwer messbar – erfordert genaue Anamnese.

---

19. Frage: „Wurde im Zusammenhang mit der bei mir diagnostizierten Osteoporose auch auf Vitamin D, K2, Magnesium und Bewegungsmangel geachtet?".

Hintergrund: Knochengesundheit profitiert von körperlicher Beanspruchung, einige Nährstoffe, mit denen überraschend viele Menschen nur unzureichend versorgt sind, spielen ebenfalls eine Rolle.

---

20. Frage: „Wurde untersucht, ob meine Schlafstörungen auf hormonelle Ungleichgewichte, auf ein zu hohes Stressaufkommen oder auf Nährstoffmängel zurückzuführen sein könnten, bevor ich Schlafmittel verschrieben bekomme?".

Hintergrund: Schlafmittel könnten abhängig machen und Ursachen überdecken.

21. Frage: „Wurde geprüft, ob meine Gelenkschmerzen im Zusammenhang mit einer Impfung oder mit einer Infektion aufgetreten sind, bevor Schmerzmittel verordnet wurden?".

Hintergrund: Gelenkschmerzen können auch durch Infektionen oder Impfstoffe ausgelöst werden.

---

22. Frage: „Wird das Reizdarmsyndrom vielleicht vorschnell diagnostiziert?".

Hintergrund: RDS ist eine Ausschlussdiagnose, die sehr aufwändig sein kann.

---

23. Frage: „Wurde ausgeschlossen, dass mein hoher Blutdruck stressbedingt ist oder durch eine sekundäre Ursache (z. B. Nierenprobleme) entsteht?".

Hintergrund: Medikamente allein bekämpfen Symptome, nicht Ursachen.

---

24. Frage: „Wurde bei der Ursachenklärung meiner Rückenschmerzen auch an meine Haltung, die Gesundheit der Faszien und an mein Stressaufkommen gedacht?".

Hintergrund: Rückenschmerzen können viele Ursachen haben.

---

25. Frage: „Wird ernsthaft dokumentiert, wenn ich nach einer Impfung oder Medikation Symptome entwickle – oder dies pauschal als Zufall abgetan?".

Hintergrund: Derlei Nebenwirkungen werden gelegentlich bagatellisiert – Patienten erfahren keine seriöse Nachverfolgung oder Meldung ihrer Symptome.

---

26. Frage: „Wie oft ist eine Auffrischung der Tetanusimpfung wirklich nötig – und wie hoch ist mein realistisches Infektionsrisiko?".

Hintergrund: Tetanus ist extrem selten, besonders in westlichen Ländern. Viele Auffrischungen erfolgen gewohnheitsgemäß, aber nicht risikobasiert.

---

27. Frage: „Stimmt es, dass die manchen Impfungen zugesetzten Schwermetalle und Aluminium das Gehirn von Kleinkindern belasten könnten?".

Hintergrund: Die Blut-Hirn-Schranke gilt im Kleinkindalter als noch nicht voll ausgeprägt.

28. Frage: „Ist im Falle meiner Krampfadern eine Verödung oder Operation zwingend nötig – oder kann ich die Beschwerden zum Beispiel auch durch Bewegung, Ernährung und Kneipp-Therapie lindern?".

Hintergrund: Eventuell lassen sich invasive Eingriffe vermeiden.

---

29. Frage: „Ist es denkbar, dass mein Übergewicht durch Faktoren rund um Stress, Schlaf, Hormone oder den Darm verursacht wird?".

Hintergrund: Übergewicht kann viele Ursachen haben, die auch dann fortbestehen, wenn Kalorien gezählt werden.

---

30. Frage: „Stimmt es, dass Ibuprofen und andere freiverkäufliche Schmerzmittel die Darmbarriere schwächen?".

Hintergrund: „Nichtsteroidale Antirheumatika (NSAR) wie Ibuprofen können die Schleimhaut des Darms angreifen und die Barrierefunktion beeinträchtigen."

---

31. Frage: „Warum nehme ich dauerhaft einen Magensäureblocker – obwohl das Risiko für Mangelzustände, Infekte und Osteoporose steigt?".

Hintergrund: PPIs verändern die Verdauung und Nährstoffaufnahme. Eventuell könnte die Einnahme nur kurzfristig erfolgen.

---

32. Frage: „Wie hoch ist die Wahrscheinlichkeit eines falsch-positiven Befunds bei der Krebsfrüherkennung – und wie viele harmlose Veränderungen führen zu einer nicht benötigten Therapie?".

Hintergrund: Manche Methoden der Krebsfrüherkennung könnten falsche Ergebnisse liefern.

---

33. Frage: „Wie verlässlich sind genetische Tests, rechtfertigen sie vorsorgliche Maßnahmen, wenn ich keine Symptome habe?".

Hintergrund: Veranlagung ist nicht gleich Schicksal.

---

34. Frage: „Gibt es Hinweise darauf, dass dir mir verschriebenen Medikamente zu einem Mangel an bestimmten lebenswichtigen Nährstoffen führen könnten?".

Hintergrund: Die Einnahme mancher Medikamente führt mit hoher Wahrscheinlichkeit zu einem Mangel an lebensnotwendigen Nährstoffen.

35. Frage: „Was bringt ein Schmerzmittel oder Kortison bei Arthrose – wäre Training, Gewichtsreduktion oder Ernährung auf lange Sicht vielleicht sinnvoller?".

Hintergrund: Auch der Lebensstil spielt bei Arthrose eine Rolle.

---

36. Frage: „Sind wirklich alle Medikamente nötig, die meine Eltern/Großeltern einnehmen – könnten einige davon durch Wechselwirkungen sogar Beschwerden verursachen?".

Hintergrund: Polypharmazie ist mit erhöhtem Risiko für hohe Organbelastung und Nebenwirkungen, darunter Stürze und Verwirrtheit, verbunden.

---

37. Frage: „Ist es wirklich notwendig, bei meiner Prostatavergrößerung ein Medikament einzunehmen – oder könnte eine pflanzliche Therapie (z. B. Sägepalme) genügen, bei der keine Nebenwirkungen wie Libidoverlust zu erwarten sind?".

Hintergrund: Bei Einnahme von Standardmedikamenten sind sexuelle Nebenwirkungen möglich, sie könnten bei der Nutzung pflanzlicher Alternativen ausbleiben.

---

38. Frage: „Ist in den Wechseljahren eine Hormontherapie wirklich notwendig – und wie hoch ist mein individuelles Risiko für Brustkrebs oder Thrombosen dadurch?".

Hintergrund: Hormontherapien sind umstritten – Nutzen und Risiko müssen individuell abgewogen werden.

---

39. Frage: „Warum werden bei meiner Routine-Blutuntersuchung viele wichtige Werte wie Vitamin D, B12, Ferritin, Homocystein und Omega-3 nicht standardmäßig mitgemessen?".

Hintergrund: Die „große" Blutuntersuchung ist oft oberflächlich. Wichtige Marker fehlen, obwohl sie relevante Defizite aufzeigen könnten.

---

40. Frage: „Stimmt es, dass ein Magnesiummangel am ehesten durch eine Vollblutanalyse, nicht aber durch eine Messung im Blutserum erkannt werden kann?".

Hintergrund: Manchmal ist das Vorkommen von Magnesium im Blutserum gerade deshalb hoch, weil es im Inneren der Zellen fehlt.

Anhang 2: 40 erstaunliche Hacks

Viele Teile tragen zum Ganzen bei. In diesem letzten Anhang dieses Buches geht es um eine Auswahl an Möglichkeiten, positiven Einfluss auf die Gesundheit zu nehmen. Mit einer Ausnahme haben alle Hacks einen belegbaren wissenschaftlichen Hintergrund.

1. „Begrenze den Einsatz der Mikrowelle"

Erläuterung: Mikrowellenbehandlung kann den Gehalt an sekundären Pflanzenstoffen und Antioxidantien in Lebensmitteln drastisch reduzieren.

Quelle: Quan, H., & Cai, Y. (2023). Effect of Microwave Treatments Combined with Hot-Air Drying on Phytochemical Profiles and Antioxidant Activities in Lily Bulbs (Lilium lancifolium). Foods, 12(13), 1792.

---

2. „Vermeide Sucralose (auch und gerade) beim Backen"

Erläuterung: Das Erhitzen des Süßstoffs Sucralose (E955) kann zur Bildung potenziell toxischer chlorierter Verbindungen wie Dioxinen führen. Dies geschieht insbesondere bei hohen Temperaturen während des Backens.

Quelle: Rahn, A., & Yaylayan, V. A. (2010). Thermal degradation of sucralose at 250°C results in the generation of toxic chloropropanols. Journal of Agricultural and Food Chemistry, 58(23), 12370–12375.

---

3. „Vermeide aluminiumhaltige Deos vor allem direkt nach dem Rasieren"

Erläuterung: Mikroverletzungen führen dazu, dass frisch rasierte Haut besonders viel Aluminium aufnehmen kann.

Quelle: Pineau, A., et al. (2012). Assessment of dermal absorption of aluminium from a representative antiperspirant formulation using a [26Al]Al microtracer approach: a follow-up study in humans. Toxicology Research, 11(3), 511–522.

---

4. „Vermeide Alufolie in Verbindung mit sauren Lebensmitteln"

Erläuterung: Das Kochen oder Lagern von sauren Lebensmitteln in Aluminiumfolie kann zu einer erhöhten Aufnahme von Aluminium führen. Studien zeigen, dass Aluminium in solchen Fällen in das Lebensmittel übergehen kann.

Quelle: Bassioni, G., et al. (2012). Risk Assessment of Using Aluminum Foil in Food Preparation. International Journal of Electrochemical Science, 7, 4498–4509.

5. „Lagere Speiseöle lichtgeschützt und kühl, um Oxidation zu vermeiden“

Erläuterung: Licht und Wärme beschleunigen die Oxidation von Speiseölen erheblich, was zur Bildung von Verbindungen wie Lipidperoxiden führen kann. Diese Prozesse beeinträchtigen nicht nur den Geschmack und Geruch des Öls, sondern können auch potenziell gesundheitsschädlich sein.

Quelle: Kern, Bayerische Landesanstalt für Landwirtschaft. (2019). Bayerische pflanzliche Speiseöle. [PDF]. Verfügbar unter (Link zuletzt abgerufen am 19.07.2025): https://www.kern.bayern.de/mam/cms03/shop/kompendien/dateien/bayerische-pflanzliche-speiseoele_ua_final.pdf

---

6. „Verwende bevorzugt Glasbehälter zur Aufbewahrung von Lebensmitteln“

Erläuterung: Kunststoffbehälter können bei Kontakt mit Lebensmitteln, insbesondere unter Hitzeeinwirkung, Substanzen wie Bisphenol A (BPA), Phthalate und andere Additive freisetzen. Diese sind mit Gesundheitsrisiken verbunden, darunter hormonelle Störungen, metabolische Erkrankungen und Leberprobleme. Glasbehälter sind chemisch stabil, was sie zu einer sichereren Alternative für die Lebensmittelaufbewahrung macht.

Quelle: Gupta, R. K., Pipliya, S., Karunanithi, S., Eswaran U, G. M., Kumar, S., Mandliya, S., Srivastav, P. P., Suthar, T., Shaikh, A. M., Harsányi, E., & Kovács, B. (2024). Migration of Chemical Compounds from Packaging Materials into Packaged Foods: Interaction, Mechanism, Assessment, and Regulations. Foods, 13(19), 3125.

---

7. Kurzes Spazierengehen nach dem Essen hilft, den Blutzucker zu regulieren

Erläuterung: Leichte körperliche Aktivität nach den Mahlzeiten kann die Glukoseaufnahme in die Muskeln fördern. Mache dies zu deiner täglichen, eventuell nach jedem Essen wiederholten Routine, um einen aufkeimenden Diabetes in Schach zu halten oder die Wirkung von Diäten zu unterstützen, die auf eine reduzierte Eigenproduktion von Insulin setzen.

Quelle: Erickson, M. L., et al. (2022). Exercise after You Eat: Hitting the Postprandial Glucose Target. Sports Medicine, 52(1), 1–12.

---

8. „Erwäge bei erhöhtem Blutzucker die Einnahme von Chrompicolinat“

Erläuterung: Chrompicolinat (CP), eine Darreichungsform des Spurenelements Chrom, wird mit einer verbesserten Insulinwirkung in Verbindung gebracht. Eine systematische Übersichtsarbeit und Metaanalyse kontrollierter klinischer Studien ergab, dass die Einnahme von CP bei Personen mit Typ-2-Diabetes Verbesserungen in verschiedenen Parametern der Blutzuckerkontrolle bewirken kann. CP gilt in üblichen therapeutischen Dosen als gut verträglich und sicher.

Hinweis: Vor der Einnahme von CP muss eine ärztliche Beratung erfolgen.

Quelle: Suksomboon, N., Poolsup, N., & Yuwanakorn, A. (2014). Effects of chromium supplementation on glycemic control in patients with type 2 diabetes: a systematic review and meta-analysis. Journal of Clinical Pharmacy and Therapeutics, 39(3), 292–306.

---

9. „Nutze Apfelessig, um deinen Blutzucker zu stabilisieren"

Erläuterung: Studien zeigen, dass die tägliche Einnahme von Apfelessig den Nüchternblutzucker und den HbA1c-Wert bei Menschen mit Typ-2-Diabetes senken kann. Die Wirkung beruht unter anderem auf einer verzögerten Magenentleerung, einer verbesserten Insulinsensitivität und einer reduzierten Glukoseaufnahme aus dem Darm. Typisch sind 1–2 Esslöffel pro Tag, verdünnt in einem Glas Wasser und am besten kurz vor einer Mahlzeit eingenommen.

Quelle: Jafarirad, S., Elahi, N., Mansoori, A., Khanzadeh, T., & Haghighizadeh, M. H. (2023). The improvement effect of apple cider vinegar as a functional food on glycemic indices and lipid profile in patients with type 2 diabetes: A randomized clinical trial. Frontiers in Clinical Diabetes and Healthcare, 4, 1288786.

---

10. „Erhöhe deine Ballaststoffzufuhr, um die Blutzuckerkontrolle zu verbessern"

Erläuterung: Eine ballaststoffreiche Ernährung, insbesondere (aber nicht nur) mit löslichen Fasern wie Beta-Glucanen, kann die Glukoseaufnahme nach den Mahlzeiten verlangsamen und die Insulinsensitivität verbessern. Studien belegen, dass eine erhöhte Ballaststoffzufuhr den HbA1c-Wert („Langzeitzucker") und den Nüchternblutzucker bei Menschen mit Typ-2-Diabetes senken kann.

Quelle: Jenkins, D. J. A., Kendall, C. W. C., Axelsen, M., Augustin, L. S. A., & Vuksan, V. (2000). Dietary fiber, glycemic index, and diabetes. The New England Journal of Medicine, 342(19), 1392–1398.

---

11. „Konsumiere Resistente Stärke, um den Blutzucker besser zu regulieren"

Erläuterung: Resistente Stärke wird im Dünndarm nicht verdaut, sie wirkt wie ein Ballaststoff. Studien zeigen, dass sie den Blutzuckeranstieg nach dem Essen dämpfen und die Insulinempfindlichkeit verbessern kann. Der Vorteil: Sie lässt sich ohne Nahrungsergänzungsmittel mit der alltäglichen Ernährung aufnehmen. Besonders geeignet sind: über Nacht (also lange genug!) auf Kühlschranktemperatur (also kalt genug!) abgekühlte stärkehaltige Beilagen wie Reis, Kartoffeln oder Nudeln (auch erneut erhitzt), zudem verfügen Hülsenfrüchte wie Linsen, Bohnen oder Kichererbsen sowie unreife (grünliche) Bananen über einen hohen Gehalt an Resistenter

Stärke. All diese Lebensmittel sind preiswert und vielseitig kombinierbar.

Quelle: Bodinham, C. L., Frost, G. S., Robertson, M. D. (2010). Acute ingestion of resistant starch reduces food intake in healthy adults. British Journal of Nutrition, 103(6), 917–922.

---

12. Im Zweifel gilt auch für Nicht-Allergiker: „Verzichte auf Teppiche"

Erläuterung: Auch bei regelmäßiger Reinigung sammeln sich in Teppichen erfahrungsgemäß Schmutz, Allergene und Keime, die zu Störungen der Gesundheit beitragen. „Schlaf ist heilig", deshalb sollten zur Sicherheit wenigstens in Schlafräumen Beläge wie Parkett, Laminat, Vinyl oder Fliesen bevorzugt werden.

Quelle: Wang, Z., et al. (2019). Do Carpets Impair Indoor Air Quality and Cause Adverse Health Outcomes: A Review. International Journal of Environmental Research and Public Health, 16(4), 537.

---

13. Nicht nur im Schlafzimmer: „Erwäge das Anbringen von Pollenschutzgittern"

Erläuterung: Eine systematische Übersichtsarbeit und Metaanalyse von Wang et al. (2019) zeigt, dass bereits kurzer Kontakt mit Pollen das Risiko für Symptome im Bereich der Augen und Atemwege erhöht. Wenn auch nicht alle Menschen sensibel auf Pollen reagieren … Insekten, die den Schlaf rauben, dürfen Innenräumen gern fernbleiben. Übrigens: Pollenschutz hält auch Insekten fern, umgekehrt gilt dies meist nicht.

Quelle: Wang, Z., et al. (2019). Short-term exposure to pollen and the risk of allergic and asthmatic manifestations: A systematic review and meta-analysis. BMJ Open, 9(1), e024241.

14. „Verzichte auf zuckerhaltige Getränke"

Erläuterung: Wir reden über zu viel des Schlechten. Eine junge wissenschaftliche Arbeit, die auf über 22 Mio. Personen Bezug nimmt, liefert Belege dafür, dass der Konsum von zuckerhaltigen Getränken das Risiko für Typ-2-Diabetes, Herz-Kreislauf-Erkrankungen, Depressionen und andere Gesundheitsprobleme erhöht.

Quelle: Lane, M. M., et al. (2024). Sugar- and artificially sweetened beverages and health outcomes: An umbrella review and updated evidence map. BMJ, 385, e077767.

---

15. „Begrenze den Konsum künstlich gesüßter Getränke"

Erläuterung: Der Verzehr von mit Süßstoffen gesüßten Getränken ist nicht unproblematisch, doch drohen offenbar insgesamt mildere Folgen als beim Konsum gezuckerter Getränke. Diese Abstufung ist erwähnenswert – ebenfalls, dass beide Optionen nicht optimal sind. Ebenfalls: Wie immer macht die Menge das Gift.

Quelle: Li, Z., et al. (2021). Artificially Sweetened Beverages and Health Outcomes: An Umbrella Review and Dose–Response Meta-Analysis of Prospective Cohort Studies. Nutrients, 13(8), 2636.

---

16. „Bevorzuge Wasser und mild-natürlich aromatisierte Getränke"

Erläuterung: Wasser bleibt die erste Wahl für die tägliche Flüssigkeitszufuhr. Ungesüßte Kräuter- und Früchtetees sowie mit frischen Zutaten wie (möglichst unbehandelten) Zitronenscheiben, Gurken oder Minze aromatisiertes Wasser können ebenfalls gesunde Alternativen sein. Im besten Sinne „natürlich" ist das, was für uns biologisch vorgesehen ist. Die angeführte Quelle unterstreicht dies mit Blick auf das Risiko, übergewichtig zu werden.

Quelle: Pan, A., et al. (2013). Changes in water and beverage intake and long-term weight changes: results from three prospective cohort studies. BMJ, 346, f600.

---

17. „Setze auf mineralstoffreiches Mineralwasser"

Erläuterung: In Regionen mit „weichem" Wasser enthält Leitungswasser oft nur geringe Mengen an Calcium und Magnesium, die im Besonderen für die Funktion der Muskeln, Nerven und Knochen wichtig sind. Mineralwässer mit mindestens 50 mg Magnesium und 150 mg Calcium pro Liter sind eine gute kalorienfreie Möglichkeit, die Versorgung mit diesen essenziellen Nährstoffen zu unterstützen.

Quelle: Sportärztezeitung. (2019). Mineralwasser vs. Leitungswasser. Sportärztezeitung.

18. „Setze auf bicarbonatreiches Mineralwasser"

Erläuterung: Dies hilft bei der Regulation des Säure-Basen-Haushalts. Besonders empfehlenswerte Sorten enthalten ab 1,5 g Bicarbonat pro Liter.

Quelle: Sportärztezeitung. (2019). Lebensmittel Wasser. Sportärztezeitung.

---

19. „Setze auf lithiumreiches Mineralwasser"

Erläuterung: Wie Chrom gilt auch Lithium nicht als essenzielles Spurenelement. Allerdings schließt diese formale Einordnung die Entfaltung positiver Wirkungen im Körper nicht aus. Während Chrom vielleicht noch mehr als Lithium zur Regulation des Blutzuckers beiträgt, kann Lithium zudem Neuroinflammation („Entzündung des Gehirns") begrenzen. Dies kann einen Beitrag zu besserem Schlaf, mehr innerer Ruhe und Stressresistenz leisten. Neben gemischter Pflanzenkost sind auch diverse Sorten Mineralwasser reich an Lithium, typisch für einen hohen Lithiumgehalt ist ein hoher Natriumgehalt. Vor der Umsetzung dieses Hacks ist ein Arzt oder Apotheker zu konsultieren.

Quelle: Seidel, Ulrike, et al (2019). "Lithium-rich mineral water is a highly bioavailable lithium source for human consumption." Molecular nutrition & food research 63.13: 1900039.

---

20. „Lasse Grapefruitsaft einen Bestandteil deiner Ernährung sein"

Begründung: Grapefruitsaft ist (wie Zitronensaft) besonders reich an Citrat, das in der Leber zu Bicarbonat metabolisiert werden kann. Als Ausgleich zu einer eher säurelastigen Ernährung leistet Grapefruitsaft einen Beitrag zur Regulation des Säure-Basen-Haushalts. (Aber: Grapefruitsaft enthält Naringin und Bergamottin, die für den Abbau von Medikamenten nötige Enzyme hemmen. Es gilt, dass Grapefruitsaft nur für Personen geeignet ist, die <u>keine</u> Medikamente einnehmen.)

Quelle: Worlitschek, M. (2015). Praxis des Säure-Basen-Haushalts: Grundlagen und Therapie. Georg Thieme Verlag.

---

21. Auch Getränke können Ballaststoffe liefern

Erläuterung: Die (Darm-)Gesundheit profitiert von mehr Ballaststoffen, als viele Menschen zu sich nehmen. Oft übersehen: Auch Getränke wie Kaffee, Espresso, Säfte mit Fruchtfleisch, Smoothies und Drinks mit zugesetzten löslichen Fasern können einen Beitrag leisten.

Quelle: Marlett, J. A., et al. (2002). Health implications of dietary fiber. Journal of the American Dietetic Association, 102(7), 993–1000.

22. „Achte besonders bei Stress auf eine ausreichende Flüssigkeitszufuhr"

Erläuterung: Ein Mangel an Flüssigkeit kann körpereigene Stressreaktionen verstärken. Da dem ein wichtiger Mechanismus zugrunde liegt, ausführlicher: Bei Flüssigkeitsmangel bildet sich im Gehirn vermehrt Arginin-Vasopressin (AVP). AVP verstärkt die Wirkung von Corticotropin-Releasing-Hormon (CRH), was zu einer gesteigerten Freisetzung von Adrenocorticotropem Hormon (ACTH) führt, was die Aktivität der Hypothalamus-Hypophysen-Nebennierenrinden-Achse erhöht. Demgegenüber kann eine wenigstens ausreichende Versorgung des Körpers mit Flüssigkeit dabei helfen, körperliche Stressreaktionen zu begrenzen.

Quelle: Carroll, H. A., et al. (2019). Hydration, Arginine Vasopressin, and Glucoregulatory Health in Humans: A Critical Perspective. Nutrients, 11(6), 1201.

---

23. Besonders bei Stress im Auto: „Kopf hoch, Schultern runter und tief atmen"

Erläuterung: Eine aufrechte Haltung unterstützt die Zwerchfellatmung, was die Aktivität des Parasympathikus (des beruhigenden Anteils des autonomen Nervensystems) fördert. Tiefe, langsame Atmung erhöht die Herzfrequenzvariabilität und senkt den Cortisolspiegel, was zu einer verbesserten Stressbewältigung führt.

Quelle: Zaccaro, A., et al. (2018). How breath-control can change your life: A systematic review on psycho-physiological correlates of slow breathing. Frontiers in Human Neuroscience, 12, 353.

---

24. Durch E-Mobilität könnten erhöhte Stresswerte drohen

Erläuterung: Im Unterschied zu den anderen Hacks basiert dieser nicht auf gesicherten Studien, sondern auf kritischer Beobachtung und dem Vorsorgeprinzip. Ziel ist es auch, auf eine mögliche Belastung aufmerksam zu machen, die bislang kaum wissenschaftlich untersucht wurde.

Im Innenraum moderner E-Autos überlagen sich elektromagnetische Felder aus diversen Quellen. Zu berücksichtigen sind im Besonderen die Effekte des Antriebs bzw. des Bremens und der Energierückgewinnung, der Bordelektrik und -elektronik, Bluetooth, WLAN, Mobilfunk. Ob die bisher genutzten Prüfverfahren diese Summenbelastung realitätsnah abbilden, ist fraglich. Zudem beziehen sich bisherige Grenzwerte eher auf kurzfristige Exposition.

Einige Nutzer berichten allerdings schon nach kurzer Fahrt über Stressempfinden und innere Unruhe. Ob es sich dabei um biologisch messbare oder um subjektiv vermittelte Effekte handelt, bleibt offen – die elektromagnetische Feldbelastung ist jedoch zweifelsfrei vorhanden. Wer sensibel reagiert, kann während der Fahrt den Betrieb elektrischer Verbraucher inklusive Smartphone begrenzen.

Quelle: Derzeit gibt es keine großangelegten Studien, die die Unbedenklichkeit elektromagnetischer Felder im Fahrzeuginnenraum unter realen Alltagsbedingungen belegen.

---

25. Vitamin C kann Stresshormone senken

Erläuterung: Anders als Hunde, Katzen und viele weitere Säugetiere kann der Mensch Vitamin C nicht selbst bilden. Offenbar kompensieren wir Menschen dies, durch eine vermehrte Produktion von Stresshormonen. Gerade bei chronischem Stress kann dies nachteilig sein. Doch es gibt eine Lösung: Die tägliche Einnahme von mehr Vitamin C, als es die meisten Ernährungsgesellschaften empfehlen, scheint unsere Toleranz gegenüber chronischem Stress zu erhöhen. Es lohnt sich, zusammen mit einem Arzt oder Apotheker eine passende Dosierung zu erarbeiten.

Quelle: Beglaryan, N., et al. (2024). Vitamin C supplementation alleviates hypercortisolemia caused by chronic stress. Stress and Health, 40(3), e3347.

---

26. „Leaky Gut": Nicht raten, sondern testen

Erläuterung: Ist die Darmbarriere gestört, gelangen Substanzen in den Blutkreislauf, die dort nicht hineingehören. Dies kann systemische Entzündungen, Nahrungsmittelunverträglichkeiten oder Autoimmunreaktionen begünstigen. Allerdings kreisen darum Geschäftsmodelle, die selten seriös sind. Besser als Geld für die Lösung nicht bestehender Probleme auszugeben, sind Labortests. Ein solider Test zielt auf I-FABP (Intestinal Fatty Acid Binding Protein, deutsch: intestinales Fettsäure-bindendes Protein) und Zonulin im Blut ab; ein ergänzender Stuhltest prüft auf Alpha-1-Antitrypsin (A1AT, ein Leberenzym). Über die Kosten und Durchführung des Tests informiert der Hausarzt.

Quelle: Drexler, L., & Nazareth, E. J. (2023). Diagnostic biomarkers for intestinal permeability: I-FABP, zonulin and alpha-1-antitrypsin in clinical practice. International Journal of Gastrointestinal Health, 12(3), 145–158.

---

27. Das Spurenelement Bor kann (auch) bei Männern sexuelle Lust mehren

Erläuterung: Bor nimmt im Spektrum der Substanzen, die mehr sexuelle Lust versprechen, eine Sonderrolle ein. Denn Bor ist kein Medikament. Dabei trägt Bor zu vielen körperlichen Funktionen bei, sein Preis als Nahrungsergänzungsmittel ist günstig. 3–6 mg pro Tag wirken zuverlässig und gelten als sicher. Übrigens: Rosinen, Pflaumen und Erdnüsse sind reich, Avocados sind sehr reich an Bor.

Quelle: Pizzorno, L. (2015). Nothing boring about boron. Integrative Medicine (Encinitas), 14(4), 35–48.

28. Ein- und Durchschlafen: Nicht das Blaulicht stört – sondern der Bildschirm

Erläuterung: Eine Meta-Analyse mit über 125.000 Jugendlichen zeigte, dass das bloße Vorhandensein von Bildschirmen am Bett das Risiko für zu wenig Schlaf, schlechte Schlafqualität und Tagesmüdigkeit erhöht. Dies zu wissen, schützt vor dem Irrtum, dass ein Blaulichtfilter die Lösung wäre. *No screen in bed!*

Quelle: Hale, L., & Guan, S. (2015). Screen time before bed and sleep outcomes: A systematic review and meta-analysis. Sleep Health, 1(1), 22–61.

---

29. Durchschlafen: Datenverkehr und Benachrichtigungen deaktivieren

Erläuterung: Um nicht mit Ankündigung unruhig zu schlafen, sollten Smartphones und Tablets auf lautlos gestellt sowie optische Benachrichtigungen und Vibrieren deaktiviert werden. Eine Deaktivierung des Datenverkehrs verhindert bereits den Eingang von Benachrichtigungen, die nachts nicht erwünscht sind. Falls im Einzelfall nötig, kann ein Telefon ohne Apps für Erreichbarkeit sorgen.

Quelle: Lee, S. Y., & Lee, E. H. (2024). Electronic media use before bedtime and sleep outcomes: A systematic review and meta-analysis. Journal of Medical Internet Research, 26, e48356.

---

30. Aufwachen: Besser ohne Snooze

Erläuterung: Die wiederholte Nutzung der Schlummertaste steht in Zusammenhang mit verschobenen Schlafzyklen, verzögertem Aufstehen und verminderter Tagesfrische – besonders häufig bei Frauen. Eine Studie mit über 21.000 Smartphone-Nutzern zeigt, dass regelmäßiges Snoozen die Schlafqualität messbar reduziert.

Quelle: Shan, L., et al. (2025). Snooze alarm use in a global population of smartphone users. Nature Scientific Reports, 15, Article 99563.

---

31. Knoblauch-Counterstrike: Immun-Boost bei ersten Erkältungssymptomen

Erläuterung: Eine Humanstudie zeigte, dass bereits eine einmalige Mahlzeit mit 5 g rohem, zerdrücktem Knoblauch (ca. 2–3 Zehen) binnen weniger Stunden die Expression gewisser Immunabwehr-Gene im Blut erhöht. Dies eröffnet die Option, bei den ersten Symptomen einer Erkältung aktiv gegenzusteuern. Verzehre den Knoblauch idealerweise auf nüchternen Magen oder mit einer leichten Mahlzeit; der zerdrückte Knoblauch sollte 5–10 Minuten ruhen, um das darin enthaltene Allicin zu aktivieren, sonst kommt es zu schwächeren Effekten.

Quelle: Charron, C., et al. (2015). A Single Meal Containing Raw, Crushed Garlic Influences Expression of Immunity- and Cancer-Related Genes in Whole Blood of Humans. The Journal of Nutrition, 145(11), 2448–2455.

32. Langfristige Immunstärkung durch Knoblauch

Erläuterung: Wer sein Immunsystem auf Dauer stärken will, findet in Knoblauch einen bewährten Verbündeten. Studien zeigen, dass Aged Garlic Extract (AGE) – ein über Monate gereifter Knoblauchextrakt – Entzündungen hemmen und das Risiko für Herz-Kreislauf-Erkrankungen senken kann. Eine tägliche Dosis von rund 2,5 g AGE hat sich dabei als wirksam erwiesen. Um auf andere Rücksicht zu nehmen, eignen sich geruchsneutrale Kapselpräparate. Wichtig: Konventionelles Knoblauchpulver aus dem Gewürzregal enthält nur geringe Mengen aktiver Wirkstoffe und entfaltet kaum immunstärkende Effekte.

Quelle: Nantz, M. P., et al. (2012). Supplementation with aged garlic extract improves both NK and γδ-T cell function. Clinical Nutrition.

---

33. Das gemeinsame Frühstück als Ritual

Erläuterung: Spät am Tag, womöglich bei Dunkelheit verzehrte Nahrung hat einen reduzierten Sättigungswert. Dadurch erhöht sich die Gefahr des Überessens, auf lange Sicht droht Übergewicht. Es ist deshalb sinnvoller, das gemeinsame Frühstück als das Abendessen zum Familienritual zu machen.

Quelle: Jakubowicz, D., et al. (2013). High caloric intake at breakfast vs. dinner differentially influences weight loss of overweight and obese women. Obesity, 21(12), 2504–2512.

---

34. Kosmetik: „Trage nur auf die Haut auf, was du auch essen würdest"

Erläuterung: Dieser Hack ist angelehnt an ein Zitat der Autorin Julie Gabriel. Sie empfiehlt, kosmetische Produkte nur dann auf die Haut aufzutragen, wenn man bereit wäre, sie auch zu essen: „If you wouldn't eat it, why put it on your skin?".

Quelle: Gabriel, J. (2008). The Green Beauty Guide: Your essential resource to organic and natural skincare, hair care, makeup, and fragrance. New York: HCI Books.

---

35. Nicht nur für die Augen: Jede Zelle braucht Vitamin A

Erläuterung: Vitamin A ist essenziell für Haut, Augen, Immunabwehr und Zellteilung. Anti-Falten-Seren enthalten oft um 1 % Retinol (zum Beispiel rund 0,3 mg in einem Spender mit 30 ml), kosten aber zwischen 15 € und 150 €. Demgegenüber liefert eine Portion Rinderleber (200 g) etwa 10 mg Retinol – also etwa die 30-fache Menge – und das für etwa 2 €. Einmal pro Monat Leber zu essen, kommt auf Dauer allen Zellen zugute und ist deutlich günstiger.

Quelle: Hennart, S., et al. (2006). Vitamin A content (retinol and retinyl esters) in livers of different animals. Food Chemistry, 98(2), 266–270.

36. „Nutze Zimmerpflanzen zur Verbesserung der Raumluft"

Erläuterung: Zimmerpflanzen wie Efeutute, Bogenhanf oder Grünlilie können die Luftqualität in Innenräumen verbessern. Sie erhöhen die Luftfeuchtigkeit, binden Feinstaub und tragen zum Abbau gewisser Schadstoffe wie Benzol, Formaldehyd und Xylol bei. Studien zeigen außerdem, dass Pflanzen im Raum mit einer Reduktion von Stress, einer erhöhten Konzentrationsfähigkeit und einem besseren subjektiven Wohlbefinden einhergehen. Wichtig ist, dass Töpfe und Erde nicht schimmeln – Pflanzenpflege gehört dazu.

Quelle: Satish, U., et al. (2012). A Pilot Study of the Cognitive and Mood Effects of Indoor Plants. Journal of Environmental Psychology, 32(4), 315–322.

---

37. Mehr Stabilität und Fußgefühl durch Barfußschuhe

Erläuterung: Barfußschuhe zeichnen sich durch ihre flache, flexible Sohle und eine breitere Zehenbox aus – sie ahmen das natürliche Barfußgehen nach. Studien zeigen, dass sie die Standstabilität verbessern und die Gelenkbelastung in Knie und Hüfte reduzieren können. Besonders bei älteren Menschen und im präventiven Alltagseinsatz ist ihr Nutzen vielversprechend. Tipp: Beginne mit kurzen Tragezeiten, damit die Fußmuskulatur sich allmählich an die ungewohnte Belastung anpassen kann.

Quelle: Tesio, L., et al. (2021). Minimal shoes improve stability and mobility in persons with a history of falls: A randomized crossover trial. Journal of Geriatric Physical Therapy, 44(2), 85–93.

---

38. Schilddrüsenhormone und Kaffee könnten sich doch miteinander vertragen

Erläuterung: Etwa fünf Millionen Menschen in Deutschland nehmen täglich Schilddrüsenhormone wie L-Thyroxin ein. Eine Regel besagt, dass Getränke wie Milch und Kaffee nicht zeitnah zusammen mit Schilddrüsenhormonen eingenommen werden sollten, um deren Resorption im Darm nicht zu stören. Allerdings lässt sich dieses Problem vielleicht umgehen, denn L-Thyroxin wird auch sublingual (über die Mundschleimhaut) gut aufgenommen. Es wirkt plausibel, die Tablette unter der Zunge zergehen zu lassen und gleich im Anschluss seinen Morgenkaffee zu genießen. Wer dies testen möchte, sollte zuvor mit einem Arzt oder Apotheker sprechen.

Quelle: Eid, Y. M., et al. (2024). Study of the efficacy of sublingual route administration of Levothyroxine Na tablets vs oral route in cases with refractory primary hypothyroidism. QJM: An International Journal of Medicine, 117(Supplement_1), hcae070-328.

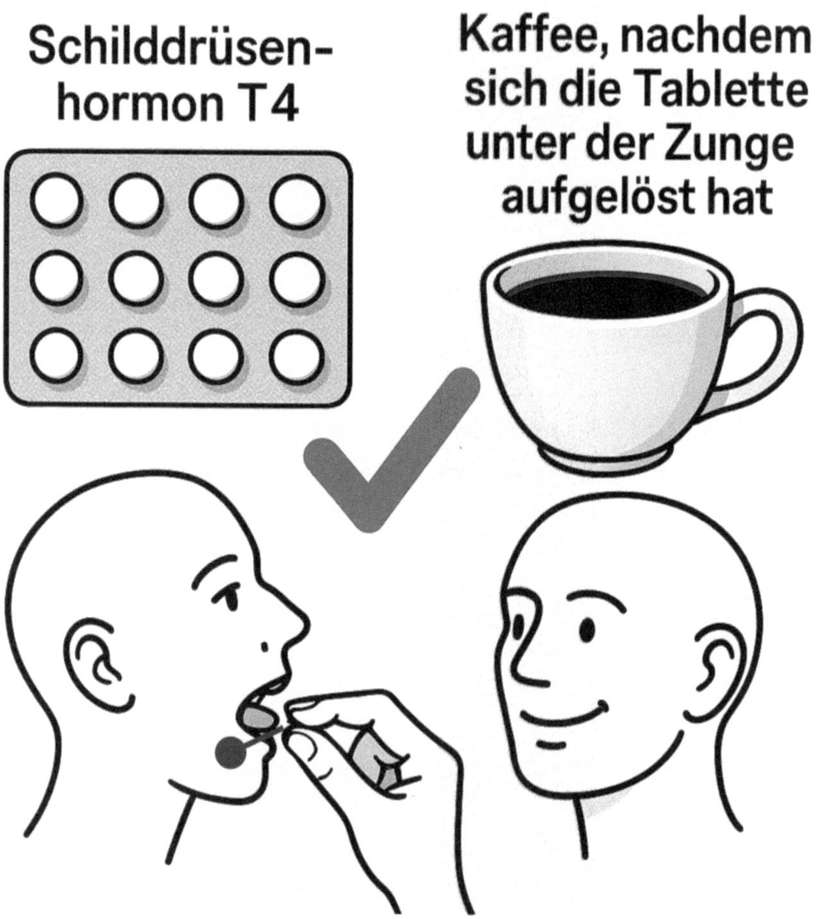

39. Wie Handlungen zur Selbstverständlichkeit werden

Erläuterung: Der Schlüssel zu nachhaltigem Verhalten liegt in der Wiederholung. Eine oft zitierte Studie zeigte: Im Durchschnitt dauert es 66 Tage, bis sich eine neue Gewohnheit vollständig automatisiert. Je nach Person und Art des Verhaltens schwankt die Dauer zwischen 18 und 254 Tagen. Das bedeutet: Auch wenn es anfangs anstrengend wirkt – dranbleiben lohnt sich, denn irgendwann geschieht das Richtige ganz automatisch. Wer sich diese Perspektive bewusst macht, bleibt motiviert und überwindet Rückschläge mit mehr Zuversicht.

Quelle: Lally, P., van Jaarsveld, C. H. M., Potts, H. W. W., & Wardle, J. (2010). How are habits formed: Modelling habit formation in the real world. European Journal of Social Psychology, 40(6), 998–1009.

40. Eine mangelfreie Ernährung ist ein Menschenrecht

Erläuterung: Wer mit einem Menschenrecht argumentiert, erreicht bei Problemen mit der Ernährung: im Pflegeheim, in der Schule oder im Kindergarten anderen Nachdruck, als sich „nur" zu beschweren.

Das Menschenrecht auf angemessene Ernährung, wie es in Artikel 11 des Internationalen Pakts über wirtschaftliche, soziale und kulturelle Rechte (UN-Sozialpakt) verankert ist, gilt auch in Deutschland. Es umfasst den verlässlichen Zugang zu nahrhafter, sicherer, kulturell akzeptabler und mangelfreier Nahrung.

Laut dem Allgemeinen Kommentar Nr. 12 des UN-Ausschusses für wirtschaftliche, soziale und kulturelle Rechte umfasst dieses Recht „eine Ernährung, die in Quantität und Qualität ausreicht, um die physiologischen Bedürfnisse des Einzelnen zu befriedigen" – insbesondere „frei von Mangelernährung, auch im Mikronährstoffbereich" (UN CESCR, 1999).

Während wiederkehrend über eine unzureichende Ernährung im Rahmen der staatlichen Grundsicherung diskutiert wird, zeigt sich struktureller Handlungsbedarf auch in staatlich mitverantworteten Kontexten wie Pflegeheimen, Krankenhäusern, Schulen und Kindertagesstätten. Gerade dort, wo Menschen auf Betreuung angewiesen sind – ob aufgrund von Krankheit, Alter oder Schulpflicht – ergibt sich eine ausgeprägte staatliche Schutz- und Gewährleistungspflicht.

Untersuchungen zeigen, dass etwa in Pflegeheimen und Krankenhäusern das Risiko für Mangelernährung erhöht ist (DGEM, 2021). Auch in Schulen und Ganztagsbetreuung erfüllt die Ernährung nicht die zu fordernden Standards.

Somit ist das Menschenrecht auf Ernährung in Deutschland rechtlich anerkannt, doch wird es im Alltag vielerorts nicht sichergestellt. Leider auch und gerade dort, wo die Verletzlichsten auf eine funktionierende Versorgung angewiesen sind.

Diese Argumentation ist umso vielversprechender, je bedeutsamer die Gesprächspartner für die Einrichtung sind, in der die Ernährung Mängel aufweist.

Quellen:

UN Committee on Economic, Social and Cultural Rights (CESCR). (1999). General Comment No. 12: The right to adequate food (Art. 11). E/C.12/1999/5.

Deutsche Gesellschaft für Ernährungsmedizin (DGEM). (2021). Positionspapier zur Mangelernährung in Pflegeeinrichtungen. https://www.dgem.de

Brot für die Welt. (2023). Was kostet gesundes Essen? Ernährungssicherheit und Hartz IV/Bürgergeld. https://www.brot-fuer-die-welt.de

Bundesministerium für Ernährung und Landwirtschaft (BMEL). (2022). Recht auf Nahrung – nationale Verantwortung, globale Wirkung. https://www.bmel.de

Eine finale Botschaft

Gesundheit, Heilung und Prävention sind komplexe Begriffe. Sie sind nicht bedeutungsgleich, doch sie überschneiden sich – besonders dann, wenn es darum geht, selbst Verantwortung für das eigene Wohlbefinden zu übernehmen.

Dieses Buch erhebt nicht den Anspruch zu heilen. Doch es bietet Hinweise, die zur Heilung beitragen können, oft indirekt, aber wirksam. Denn viele der vorgestellten Maßnahmen betreffen fundamentale Lebensfunktionen, deren Optimierung eine messbare Wirkung entfalten kann. Themen wie Schlaf, Erdung (Grounding), ein ausgewogener Säure-Basen-Haushalt, die Aktivierung des Parasympathikus im modernen Lebensstil und eine gezielte Nährstoffversorgung sind so grundlegend, dass sie sowohl präventiv als auch regenerativ wirken können.

Genau diese Themen sind es, die helfen, Krankheit gar nicht erst entstehen zu lassen. Wer sie berücksichtigt, nutzt einfache Mittel mit großer Wirkung.

Für mich als Coach ohne medizinische Heilbefugnis ist das eine Gratwanderung. Ich halte mich an gesetzliche Vorgaben, gleichzeitig sehe ich, wo das institutionelle Gesundheitswesen Schwächen hat. Wäre Prävention in unserem System so hoch vergütet wie die Behandlung von Krankheit, würden Ärzte uns öfter und detaillierter sagen, was wir tun können, bevor wir krank werden.

Dr. Hans-Wilhelm Müller-Wohlfahrt, geboren 1942 und als Koryphäe der Sportmedizin weltweit bekannt, sagte in einem Interview mit *welt.de* am 5. Februar 2024:

„Es ist erschreckend, wie sich Übersäuerung auswirkt. Ich sehe das jeden Tag."

Das hat Gewicht. Doch wann hat Ihnen Ihr Arzt zuletzt empfohlen, auf Ihren Säure-Basen-Haushalt zu achten?

Wenn ich es in diesem Buch nicht täte, würde es seinen Sinn verfehlen. Obwohl dieses komplexe Thema ein eigenes Buch füllen könnte und nicht leichtfertig behandelt werden sollte, gehört es als Kernbotschaft genau hierhin.

Diese drei Empfehlungen können Sie sofort umsetzen:

1. Essen Sie täglich mindestens fünf Portionen Obst und Gemüse
Genau dies empfiehlt die Deutschen Gesellschaft für Ernährung. Und wenn Sie dieser Empfehlung oder gar der ganzen Institution nie getraut haben sollten – vergessen Sie alle Vorurteile. Tun Sie es. Tun Sie es so lange, bis es zur Routine geworden ist, bis es für Sie „das Normalste der Welt geworden ist". Tipp: Tiefkühlgemüse und -kräuter sind günstig, praktisch und nährstoffreich.

2. Trinken Sie Mineralwasser mit hohem Hydrogencarbonat-Gehalt
Hydrogencarbonat, das auch Bicarbonat (HCO_3^-) genannt wird, ist ein Salz der Kohlensäure. Als Bestandteil auch der Körperflüssigkeiten ist es die wichtigste körpereigene Reserve gegen Übersäuerung, denn es kann Säuren neutralisieren. Achten Sie auf Mineralwässer mit einem Gehalt von ab 1.500 mg/l – solche Sorten finden Sie auch im Discounter.

3. Integrieren Sie säurebildende, aber basisch wirkende Säfte
Gemüsesäfte, Zitronensaft und säuerlicher Orangensaft enthalten Citrat, das in der Leber in die dreifache Menge Bicarbonat umgewandelt werden kann. Spülen Sie den Mund nach dem Trinken kurz mit Wasser aus, um Ihren Zahnschmelz zu schützen.

Sie haben vielleicht schon gehört, dass Bicarbonat „der schlimmste Feind der Pharmaindustrie" sein soll. Wie auch immer – betrachten Sie es als einen der besten Freunde Ihrer Gesundheit!

Der 19. Abschnitt schloss mit den Worten: „Beginnen Sie mit Grounding, diese ausdrückliche und einschränkungslose Empfehlung ist die stärkste, die in diesem Buch vorgetragen wird." Daran halte ich fest. Aber es gibt eine Empfehlung, die ebenso stark ist: **Schützen Sie sich aktiv vor Übersäuerung.**

Wenn Sie beides tun, entscheiden Sie sich für zwei Maßnahmen, die den Unterschied zwischen Gesundheit und Krankheit, zwischen Leistungsfähigkeit und Erschöpfung ausmachen können. Sie haben das Potenzial Ausfallzeiten in Beruf, Freizeit und familiärem Alltag zu reduzieren, sie können für mehr körperliche und mentale Belastbarkeit sorgen. Dies ist ein Weg zu höherer Lebensqualität.

Um Ihr Leben möglichst lange, wieder oder noch mehr zu genießen … beginnen Sie am besten noch heute.

Schlusswort

Es bestehen zahlreiche Optionen, zu körperlicher und mentaler Gesundheit beizutragen. In vielen Fällen geht es um die Begrenzung schädlicher Einflüsse (etwa Schwermetalle, Elektrosmog), in anderen um kleine Kniffe (Schlafhygiene) die mit der Zeit große Wirkungen entfalten können.

Dabei ist es nicht notwendig, alle Möglichkeiten auszuschöpfen. Mit bewussten Entscheidungen, die gut zu Ihnen und Ihrer Lebensweise passen, übernehmen Sie Verantwortung und ergreifen die Initiative für Ihr Wohlergehen. Dieses Buch hilft Ihnen dabei. Manches, etwa Musik und Klänge, kommt im Buch viel zu kurz, anderes, wovon Sie vielleicht schon hörten, ruft es in Erinnerung, gibt Anleitungen und Anregungen, benennt die Dinge und ordnet sie ein, damit sie Ihnen bewusst sind und Sie sie an anderer Stelle vertiefen können.

Hören Sie auf Ihr Gefühl und finden Sie selbst heraus, was für Sie am besten funktioniert. Seien Sie dabei selbstbewusst! Jeder einzelne Schritt zählt, jedes Element des Ganzen trägt zu Ihrer Gesundheit bei. Es geht darum zu erkennen, dass die Summe der kleinen, regelmäßigen Entscheidungen der Schlüssel zu einem besseren Leben ist.

Im Falle einer aufkeimenden Erkrankung wie einer Erkältung kommt es in Frage, erste Symptome selbst zu behandeln, indem ein geeigneter Tee ausgewählt, mehr geruht und geschlafen wird. Allerdings sollte diese sinnvolle Bereitschaft, Arztpraxen zu entlasten, keine Behandlung ersetzen, wenn die Beschwerden schlimmer werden oder zu lange schon nicht abklingen.

Selbstbehandlung hat Grenzen, jedoch dürfte Ihr Arzt erfreut sein, wenn Sie aktiv an Ihrer Gesundung mitarbeiten und eigene Vorschläge unterbreiten, wie dies konkret mit Ihren häuslichen Möglichkeiten geschehen kann.

Gehen Sie Ihren Weg achtsam und mit Zuversicht, bleiben Sie neugierig und motiviert, begeistern Sie andere – denn Gesundheit, Ihre eigene wie die derjenigen, die Ihnen lieb und wichtig sind, ist unser höchstes Gut.